ある日…
秘密基地の
ナビモニターが…
謎のハッカー・Xに
乗っ取られて
しまった！

そればかりか…
〝日本の歴史の神様〟が
ナビモニターの中に
閉じ込められ…
このままでは…
世界の歴史にも
深刻な影響を
およぼす可能性が
あるという!!

それを聞かされた
オレ達、
少年探偵団は…

時間冒険者達とともに
Xからの挑戦に応じ…
歴史に隠された
謎に挑む!!

タイムドリフターの
冒険アイテムは、
オレ達と通信できる
スマート端末
「スマタン」と…
DETECTIVE BOYS
タイムドリフター
どうしで通信可能な
「DBバッジ」だ！

Xの正体は？
そして目的は？

今回のタイムドリフトは、
これまでと何かが違う！

ハッキングされたナビモニターをXから取り戻し、
世界の歴史を守ることができるのか!?

ようこそ時間冒険の世界へ！

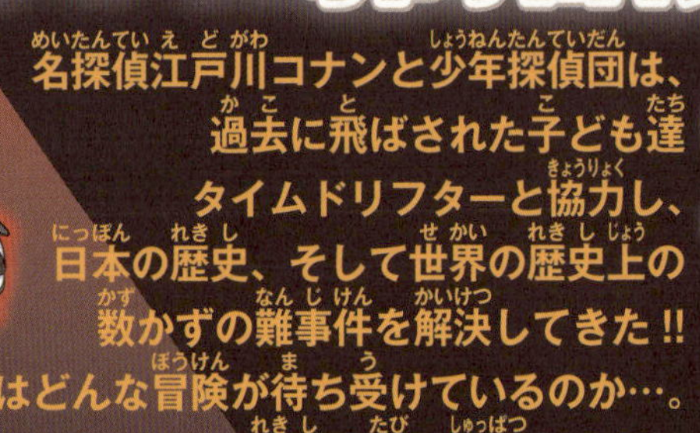

名探偵江戸川コナンと少年探偵団は、
過去に飛ばされた子ども達
タイムドリフターと協力し、
日本の歴史、そして世界の歴史上の
数かずの難事件を解決してきた!!
今回はどんな冒険が待ち受けているのか…。
コナンといっしょに歴史の旅に出発しよう！

過去へと飛ばされた13人の少年少女達、タイムドリフター。偶然発見した〝ナビルーム〟で彼らと出会ったコナンと少年探偵団は、タイムドリフターが現代に戻るために必要な〝時のイシ〟集めを手伝うことに。強敵、怪盗ウルフと対決しながらも、日本の歴史の謎や事件を解決し、12の時代に散らばった〝時のイシ〟をぶじに集めることができた。

安心したのも束の間、今度は封印を解かれた〝歴史の悪魔〟が暴走を始める。日本の歴史を守るため、タイムドリフターは再び日本の歴史を時間冒険する。6個の〝時の紋章〟を探し出し、タイムドリフターとコナン、少年探偵団は力を合わせて〝歴史の悪魔〟を再び封印することに成功したのだった。

コナン達を待ち受ける時間冒険はまだまだ続く。新たな謎と事件は、歴史と歴史の間に埋もれていた。タイムドリフターは時代を飛び回り、事態を解決に導いたのだった。

さらに〝チエの実〟を調査していた阿笠博士が突如姿を消してしまう。タイムドリフターは12の時代で阿笠博士の捜索にあたった。そこに立ちはだかったのは、世界の歴史の謎、事件、そして新たな強敵、猫盗賊キャラットだった。

しかし何とか〝真実のチエの実〟を手に入れたタイムドリフターのおかげで、博士は、ぶじナビルームに戻ってきたのだった。

そしていま、新たな時間冒険が始まろうとしている…。

CONAN HISTORY COMIC SERIES
世界史探偵
コナン
DETECTIVE CONAN
シーズン2
II
3
街と歴史
人物&アイテム紹介
少年探偵団
吉田歩美
円谷光彦
江戸川コナン
小嶋元太
毛利蘭
阿笠博士
灰原哀
鈴木園子
京極真
沖矢昴
謎のハッカー・X
???
X

ウィルソン

フォード社に車の製造を中止させようとするデモ隊の1人。

チャールズ・スペンサー・チャップリン

1889～1977年

イギリス出身の人気映画俳優・監督。アメリカで大成功し、数多くのハリウッド映画に出演した。

チャーリー

役者になることをめざしてニューヨークにやってきた少年。演技の才能はあるものの、人前では極度に緊張してしまうあがり症の持ち主。

ヘンリーの秘書

フォード・モーター・カンパニーの社長を務めるヘンリーの秘書。心配性な性格。

ヘンリー・フォード

1863～1947年

フォード・モーター・カンパニー社長。新しい車のつくりかたを探し、日夜研究している。チャーリーと知り合い、成功することを約束したが…？

ケーリー・エバンズ

チャーリーの役者の先輩で、イギリスの人気イケメン舞台俳優。

シプジ

時間冒険をサポートする最新アプリ。

時間冒険者のアイテム

DBバッジ

トランシーバー機能のついた探偵バッジ。同じ時代の中でだけ通話可能。

スマタン

現代と過去の時を超えて通話ができるスマホ型の通信端末。

時間冒険者

なかよし姉妹

リク

ハル

引っこみ思案な姉・ハルとおてんばな妹・リク。正反対な性格の姉妹がニューヨークの街で大暴れ!?

世界史探偵コナン・シーズンⅡ

3［街と歴史］摩天楼の未来計画

もくじ

［コナンの推理NOTE］

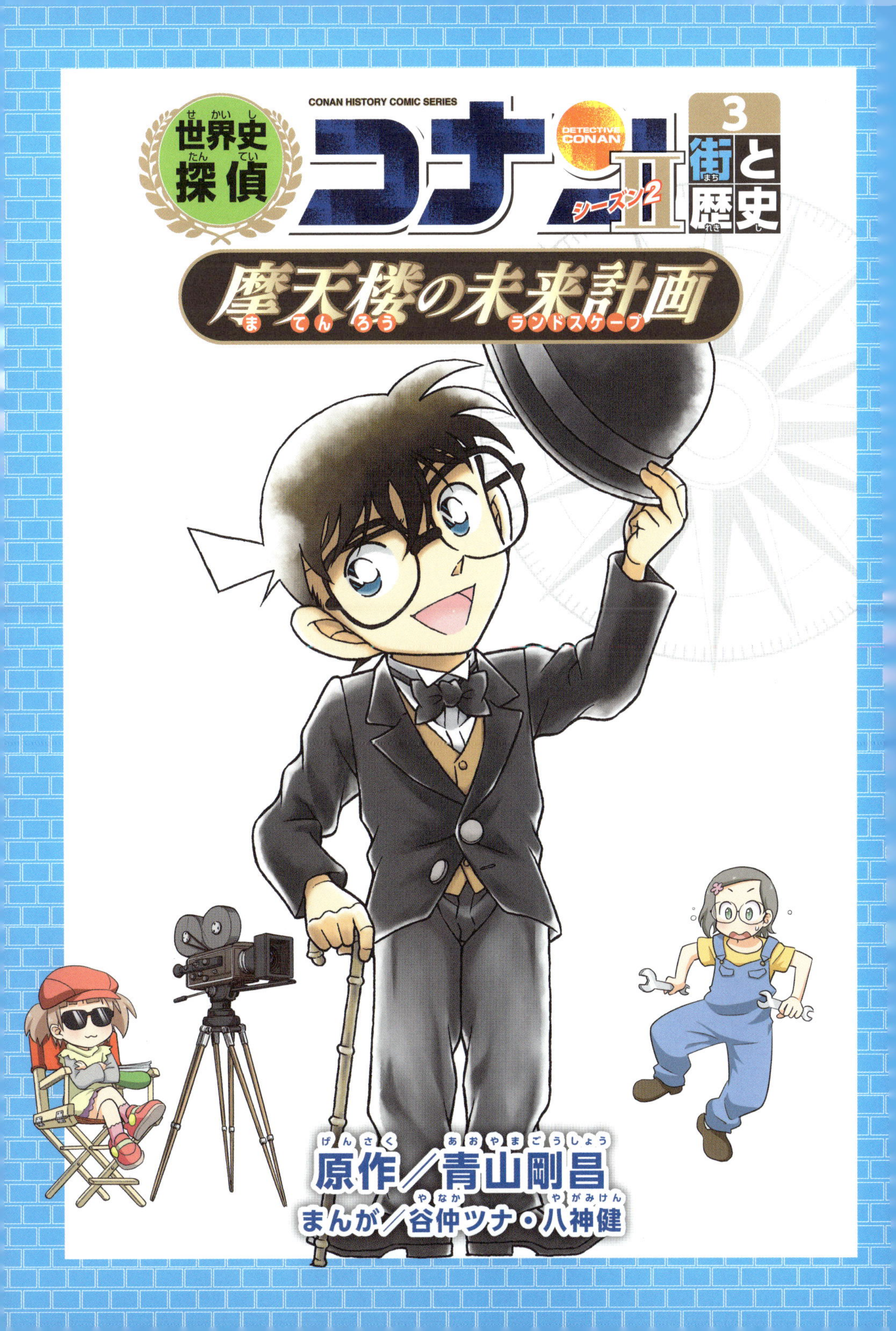
CONAN HISTORY COMIC SERIES
世界史探偵
コナン
DETECTIVE CONAN
シーズン2
II
3
街と歴史
摩天楼の未来計画
原作／青山剛昌
まんが／谷仲ツナ・八神健

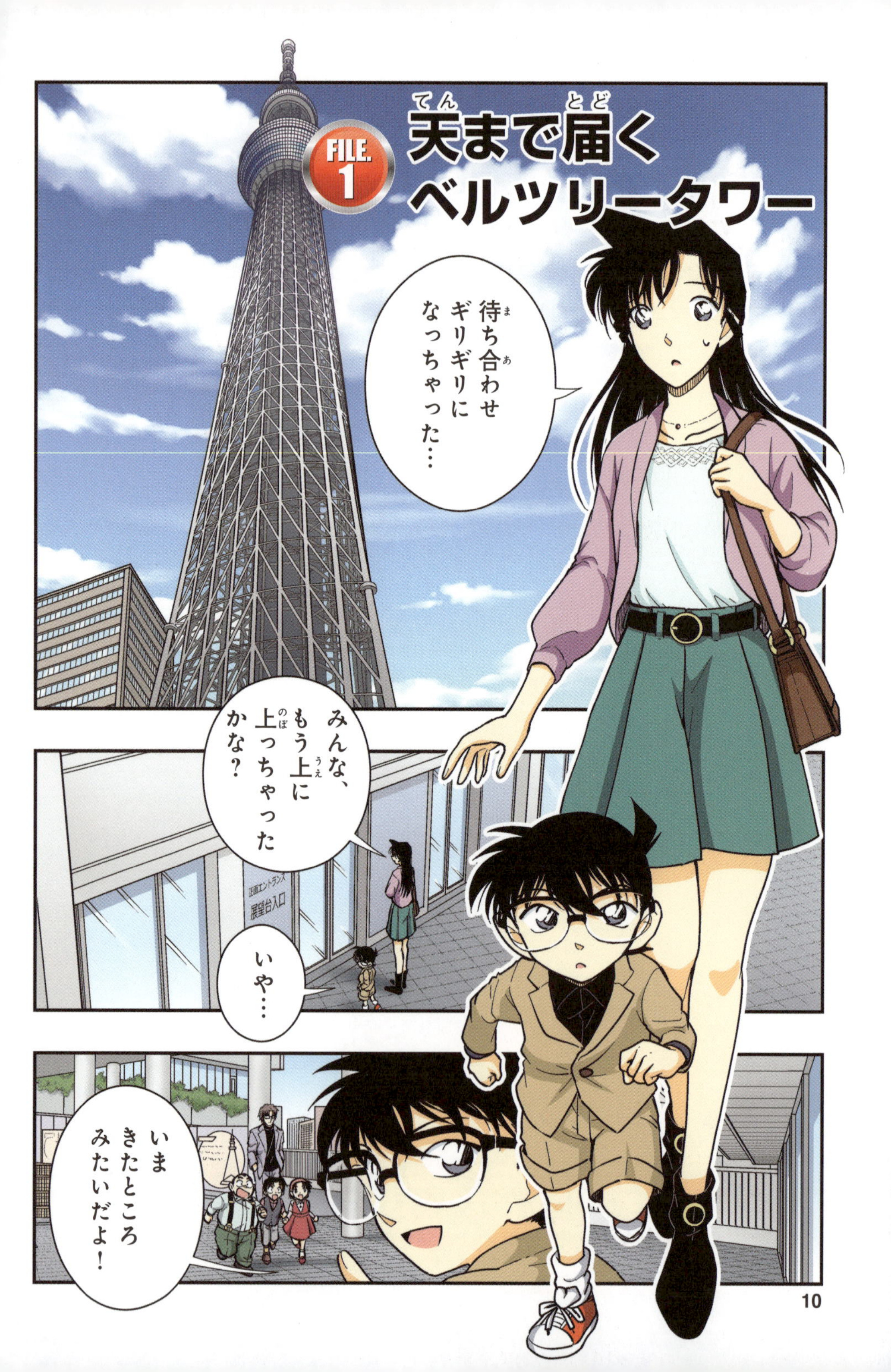
FILE. 1
天まで届くベルツリータワー
待ち合わせギリギリになっちゃった…
みんな、もう上に上っちゃったかな？
いや…
いまきたところみたいだよ！
展望台入口

コナンくーん！
コナーン！

すまない…
待たせてしまったかな？
昴さん!?

阿笠博士に引率をまかされまして…
そうだったんですね！私達もいま着いたところです！

博士と灰原さんはあの場所に…
例のハッキングか？
おう！

何か起こったら大変だから、歩美達だけでいっておいでって！
灰原と2人がかりか…
何かつかめりゃいいけど…

展望フロアへのエレベーターはこっちよ！
超速いヤツなんだろ!?

先月導入されたばかりの世界最速です!!
分速1500メートルだそうですよ！

それってどれくらい速いの？
ええと…
通常のエレベーターの倍以上の速さだよ！

分速1500メートルは秒速にすると25メートル…
25メートルプールを1秒で泳ぎ切れる速さってとこだな！

はぇっ！
すごーい！
高層ビルが建設されるとともに、エレベーターも次つぎ速いものが開発され…
ハッ
じ〜〜っ…

って、この前テレビでやってたんだ！
へえ〜、そうだったのね！

わあ！

街が、まるでミニチュア模型みたいですね！
すっげぇ〜!!

めざす場所はこっちね…
鈴木財閥のイベント…でしたね？

うん！「天空のベル」の除幕式だよ！
恋人達が永遠の愛を誓う幸せのベルなんだって！

日本一高いベルツリータワー…
その新たな目玉、「天空のベル」のお披露目です！

どうぞ！
バババ

日本一空に近いここで…
愛を誓えば、神様まで必ず届くじゃろう！

このベルを最初に鳴らすのは…
ワシの姪っ子・園子とそのボーイフレンド…
世界最強の空手家、京極真君じゃ！

わあ、園子お姉さんきれ〜い！
アレが〝天空のビル〟か？
ベルですよ、元太君！

京極さん、緊張してるみたい…
こういうの、得意じゃなさそうだもんね…

でも京極さん…
園子さんといっしょにベルを鳴らす役目を…
ほかの男にはゆずれません!!
…て海外から、しかも船の上から急ぎ帰ってきたんだって！
船!?

園子が連絡したのは、客船上で開催された空手大会の直後で…
船が港に着くまで、何日もかかって大変だったみたいよ！

空手大会を開くほどの客船となるとかなりの大型船だ…
全速力で海の上を進んだとしても、飛行機のようにはいかないよな…

さあ、準備はよいか？
ええ、おじさま！
は、はい！
リーンゴーン

ワアアアアア
ん？
ブーブー

博士からだ…
阿笠博士
Xから、また新しい謎が届いた！哀君と例の場所で待っておるぞ！

コクン

ごめん、蘭姉ちゃん！先、帰るね！
園子さんによろしくお伝えください！
ダッ
ちょっと、コナン君！みんなも！
ポン

私が送っていきますよ…

今日はどんな謎解き……
元太君、しーっ!!

行き先は阿笠博士の家でいいのかい？

あ〜〜〜……
ひ、ひとまず米花町方面へ！

コナン君、秘密基地のこと……
内緒にしておかないと……
へいへい……

…テント!!
なんだ、アイツ……

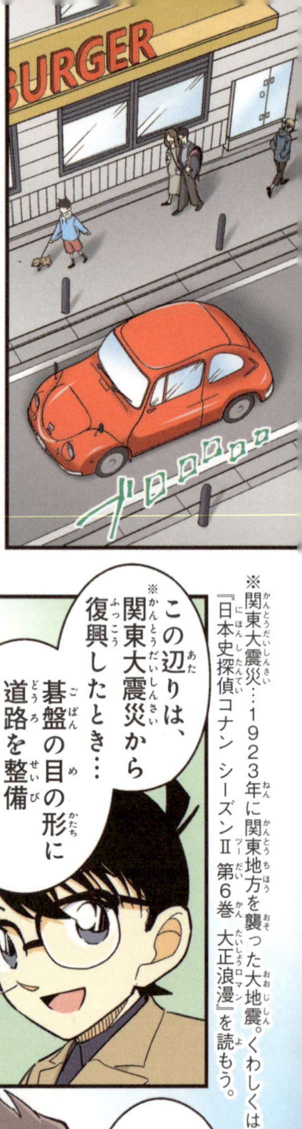

※関東大震災…1923年に関東地方を襲った大地震。くわしくは『日本史探偵コナン シーズンII 第6巻 大正浪漫』を読もう。

あんドーナツ？

その土地の象徴となる建造物だよ…

ロンドンのビッグベン、パリのエッフェル塔…

ニューヨークの自由の女神や、※エンパイアステート・ビルのようなね…

※エンパイアステート・ビル…正式名称は「エンパイアステート・ビルディング」。

そういえば、最近外国では…
日本と聞いて、東都タワーよりベルツリータワーを思い浮かべる人が増えているそうです！

街は、日々新しくなってるからな！

それより、昴の兄ちゃん！
この車、もっとスピード出ないのか？

あいにくと、速度規制があるからね…
30

いいじゃん、ちょっとくらい…
博士とキャンプにいくときは、もっとビュンビュン走るよね！

あれは高速道路！
速く走っていい道路なんだよ！

普通の道路と何が違うんだ？
高速道路は自動車専用で、歩行者は入れないんだ！

道幅は広くてカーブもゆるやかだし…
信号がないから、速度を上げて走りやすいんだよ！

…たしかに、ここは歩行者が多いですね！

あれ!?

ねえ、あの子…私達を追いかけてきてない？

アイツ!!
さっき駐車場でオレ達を見てたヤツだぞ！

まさかXの仲間…!?
けどよ、オレ達と同い年くらいだぜ？

ボク達だって世界の歴史の運命を背負っているんですよ！
敵に同い年の子がいても変じゃないですよ！
そ、そうだな…
X…？

そういえば、
アイツ、駐車場で
何か言ってたな…
何か…？

えっと
たしか…
〝テント〟
とか
何とか…

テント…？
歩美達が
キャンプに
いくと思って
るのかな？
いいや、
あの子の
狙いは…

この車…
だよね？
昴さん…
ふむ…
どうやら
そのようだ…

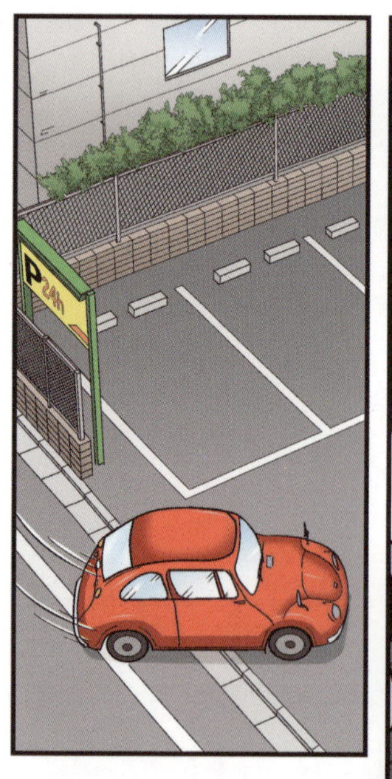
P
24h

追いつかれちまうぞ？
ええ…少し彼と話をしたくて…

どういうことですか、コナン君…
あの子の狙いはこの車だったんだ！

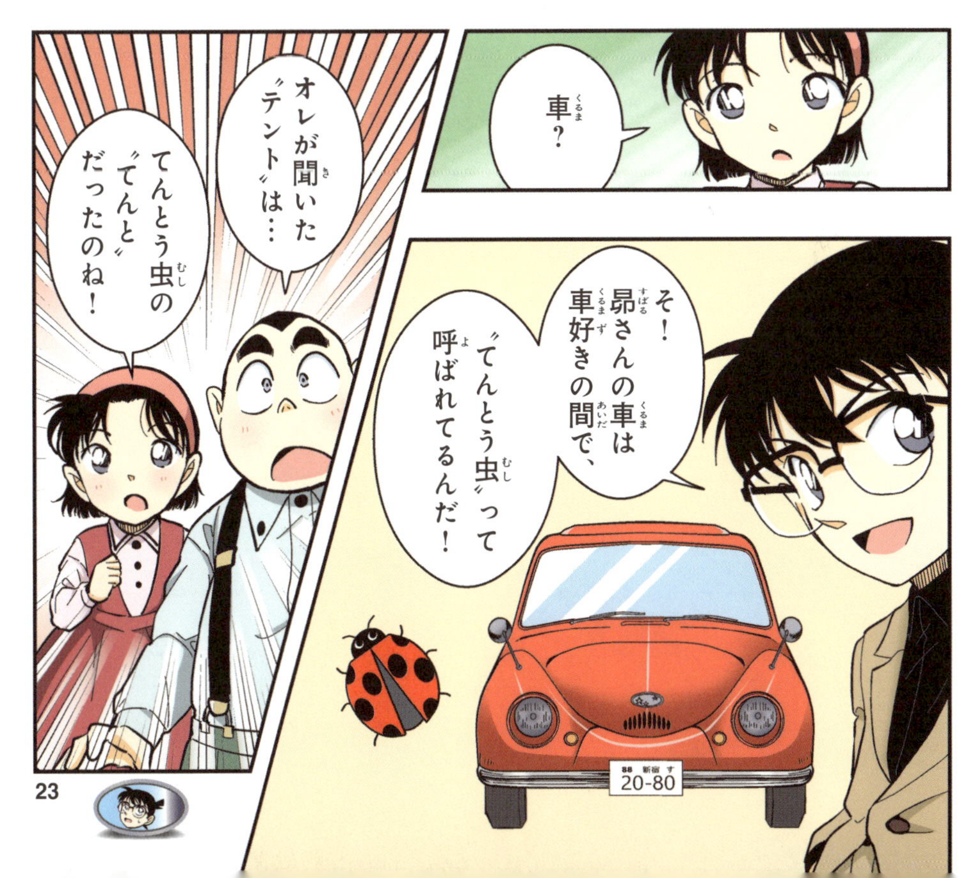
車？
そ！昴さんの車は車好きの間で、
〝てんとう虫〟って呼ばれてるんだ！
オレが聞いた〝テント〟は…
てんとう虫の〝てんと〟だったのね！
20-80

…アイツ、いつまで車見てるんだ？
博士と哀ちゃんが待ってるのに…

…あ、でもここはもう米花町じゃないですか！

ニヤリ…
まさか、お前ら…
ガ
シ
ッ

昴の兄ちゃん、オレ達先いくな！
昴さん、ごめんね！
ありがとうございました！

歴史は　より？く！

より？く！　より？くへ！

東京は、現代の都市を代表する大都市だ！

いま、世界の約6割の人びとが「都市」に暮らしている！

アジアやアフリカの国ぐにでは、超巨大都市が次つぎに誕生しているぞ！

はるか昔から、「都市」は政治・経済・文化の中心地だった！

「都市」は
時代とともに成長する！
「都市」には、そこで暮らした人びとの、生活の歴史が刻みこまれているんだ！
17世紀のニューヨーク
19世紀のニューヨーク
21世紀のニューヨーク
未来の「都市」の姿の
ヒントは、歴史の中にあり！
おとなになったキミ達が暮らす「都市」は、どんな姿をしているのだろう？
さあ、「都市」と「交通」の歴史をめぐる時間冒険に出発だ!!
日本や欧米の国ぐにでは、より暮らしやすい都市づくりが進められている。

FILE. 2
ハロー、マンハッタン!
ボーーッ
ヤッホー!! 着いたぞ! あこがれのアメリカだぁ!!
ぴょーーん
ガッ
あっ…

ととっ…
おわあ!
ゴロゴロ
うわわわ!!
ばた
じた
ばた
あっ、危ない!チャーリー!!
死ぬ気か!!

まったく…その調子じゃマンハッタンに着く前に、天国に着いちまうぞ…
しょぼん
すみません、先輩…

か…
完全に真っ暗だわ…
どこなの、ここ?

お姉ちゃぁぁん、どこ〜？
ここよ！足元に気をつけて！
ハルさん！リクさん！
コナン君！ここ、どこなの？
まわりに手がかりになりそうなものは何か見えない？
真っ暗で何も見えないのよ！
お姉ちゃん、あそこ！
明かり！だれかいるかも！
すみませ〜ん！
おーい、おーい！
ゴォオオオオ
…待って、あれってまさか…

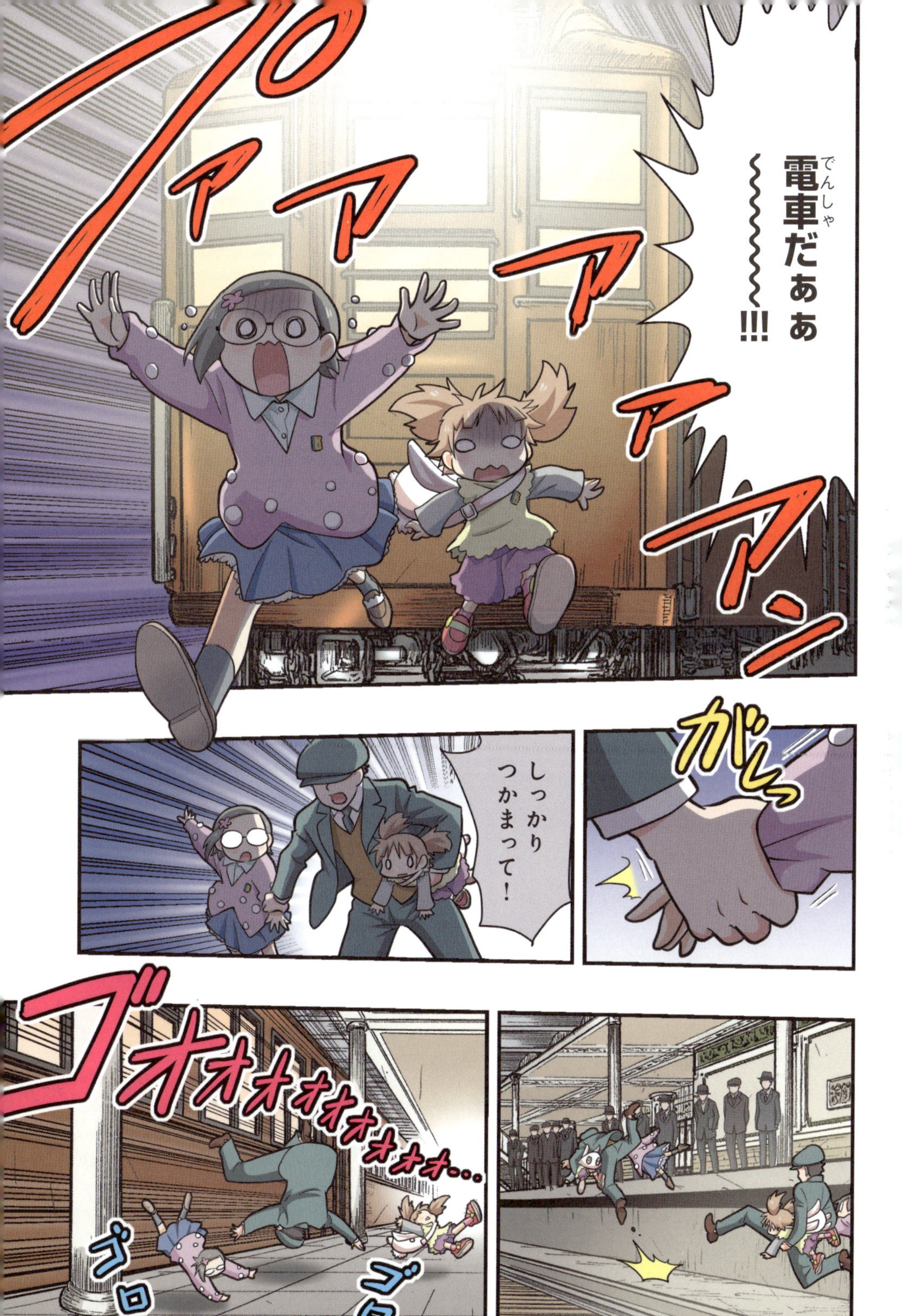
プァァァアアアン
電車だぁぁ〜〜〜〜!!!
しっかりつかまって!
がしっ
ゴオオオオオオオオオオ…
ゴロ
ゴロ

あ、ありがとう、助けてくれて…
ぶじで何より…
ボクはチャーリー！
キミ達は線路でいったい何を？
私はハル…
こっちは、妹のリク！
何をしていたかというと、その…

ねえ、ここってどこ？
？
変なこと聞くね…
ここはいまサイコーにホットな場所、コロンバスサークル駅さ！
コロンバスサークル駅!?
…って有名？

ゴオオオ
おっ、次の電車がきたぞ！
わい
わい
ほんとうに地下を電車が走ってる！
わい
わい
馬車より相当速そうだぞ！
って、さっきからこの騒ぎは何なの？

みんな、開業したばかりの地下鉄を見にきたのさ！キミ達もそうじゃないのかい？
私達は別にそういうわけじゃ…あはは…
ハルさん、そこがどこか分かったよ！
コナン君、ほんとう!?

開業したばかりの
地下鉄に
コロンバス
サークル駅…
つまり、そこは
1904年の
ニューヨーク
ってことだよ！

さっそくだけど、
2人にはその街で
やってほしいことが
あるんだ！

これは
“X”と名乗る
謎の人物から
届いた挑戦状
なんだけど…
歴史は
より？く！
より？く！
より？くへ！
ENTER
空欄が3つ…
この謎を解くヒントが
街のどこかにある、
ということなのね？
解答のチャンスは
3回しかないから、
慎重にね！

空欄を埋めれば
いいんでしょ？
カンタンじゃん！
お姉ちゃん、
貸して！
ちょっと？

ピッ
ピポピ
ブーッ
歴史は
より暗く！
より怖く！
より深くへ！

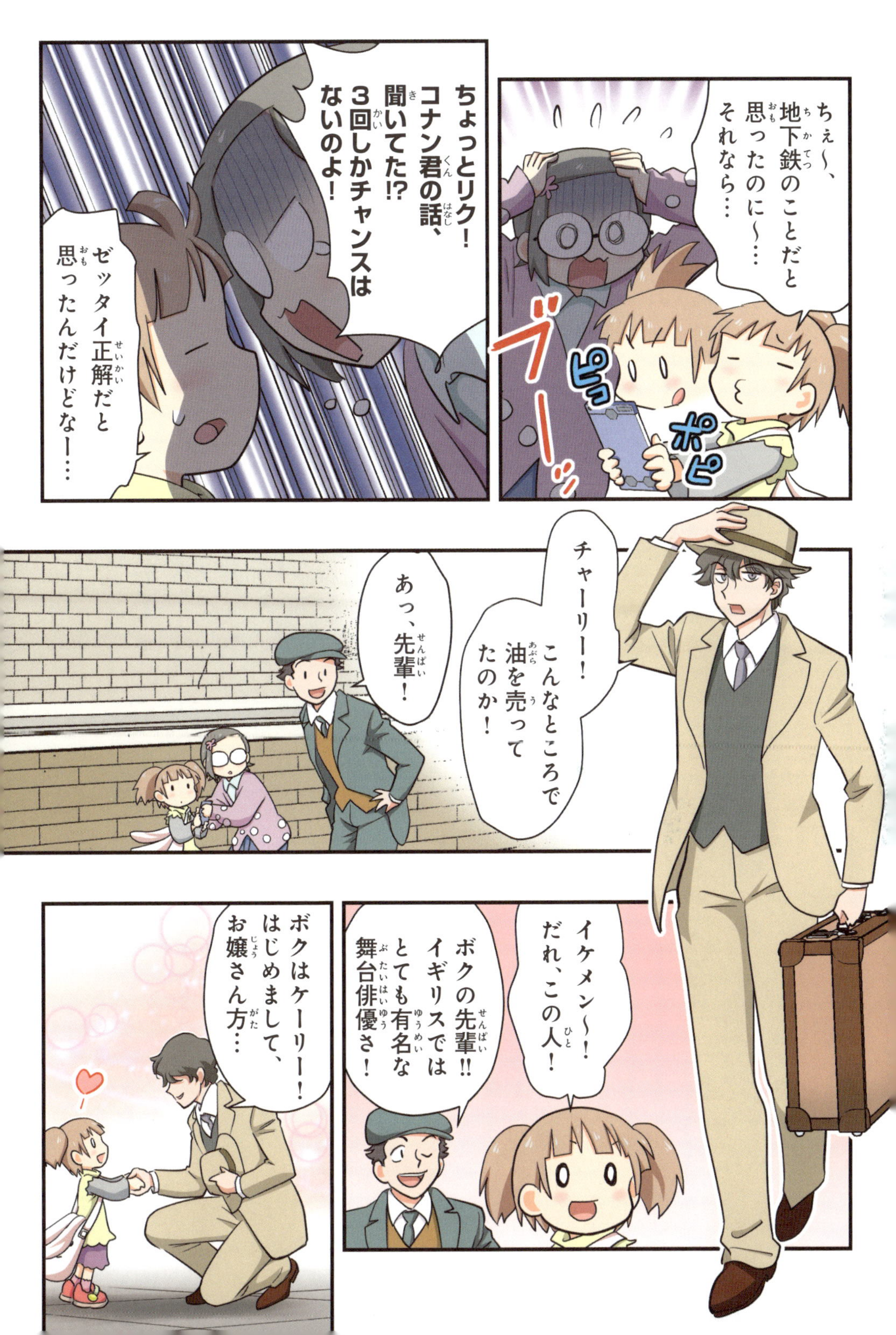
ちぇ〜、地下鉄のことだと思ったのに〜…それなら…
ブーッ
ピコ
ポピ
ちょっとリク！コナン君の話、聞いてた!?3回しかチャンスはないのよ！
ゼッタイ正解だと思ったんだけどなー…
チャーリー！
こんなところで油を売ってたのか！
あっ、先輩！
イケメン〜！だれ、この人！
ボクの先輩!!イギリスではとても有名な舞台俳優さ！
ボクはケーリー！はじめまして、お嬢さん方…

チャーリー、ボクの鞄持ちをする約束で連れてきてやったこと、忘れてないだろうな？
さあさあ、映画会社に売りこみにいくぞ！
ハルちゃん、リクちゃん、じゃあね！
ほんとうに助かりました！
バイバ～イ！

わい
わい
お～、電車がきたぞ！
もっと近くで見なきゃ！
ドド
ド
ド
あっ…
リク！

危ない！
ガバッ
ゴロ
ゴロ
ゴロ

バタン
プシュー

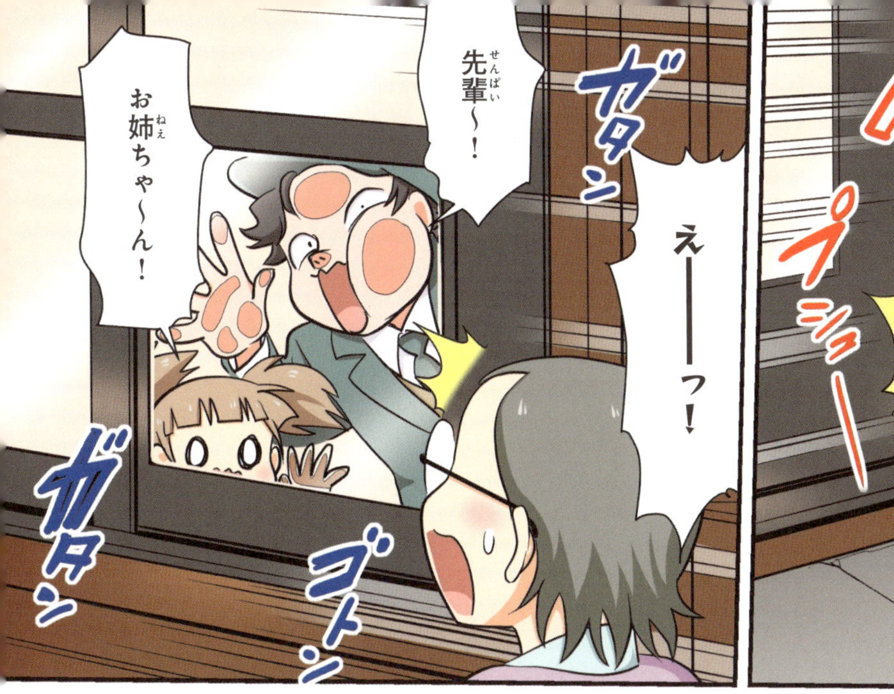
ガタン
え―――っ！
先輩～！
お姉ちゃ～ん！
ゴトン
ガタン

そんな…

リクが…スマタンも…いっちゃった…

シティホール駅
プシュー

どや
どや

ひどい目にあった…
リクちゃん、ケガはない？
わい
わい
……

平気だけど…お姉ちゃんが…

リク！返事して、リク!!
DETECTIVE BOYS

お姉ちゃん！
バッジからハルちゃんの声が…!?

よかった、つながった…ぶじなの？

うん！チャーリーといっしょだよ！

どこにいるか聞いて…
そうだった！リク、いまどこにいるの？

どこって言われても…
英語分かんない…
STAFF ONLY
CITYHALL
TICKET
404 not found

ここはシティホール駅みたいだね！
CITYHALL
だって！

シティホール駅…どうやら彼らは地下鉄の端までいってしまったようだね…
そんな…
Columbus Circle
City Hall

だいじょうぶ、電車に乗ればすぐに合流できるさ！
そっか！そうですよね！

リク、そこでおとなしく待ってて！迎えにいくから！
うん…

リクちゃん、それ…

こんなもの、いつの間に!?
人も街も成長した先に答えがある
X
何これ？
リクちゃん！それはXからのヒントだ！きっと謎を解く手がかりになるはずだよ！

ヒント？合流するまでスマタンとそれ、持っててね！

お姉ちゃん！私、いいこと思いついちゃったんだけど…
？

もう、リクったら勝手なんだから！

このまま二手に分かれて、街を見物しながらヒントを探そう！
だなんてっ！
私がどれだけ心配していると思って…!!
まあまあ…マンハッタンは探し物をするには大きな街だからね、
二手に分かれるのはナイスアイディアだよ！

それにボク達もついてる！
チャーリーはちょっと頼りないがね…

ケーリーさん…
でも、お2人は予定が…

そんなことは後回しでいい！
キミ達がぶじに国へ帰るための手伝いをさせてくれたまえ…

イギリス紳士として、困っているキミ達を放っておけない…
あ、ありがとうございます…

リクちゃん
いいの？
ハルちゃんは、
相当心配していた
みたいだけど…
いいの！
チャーリーがイヤなら
手伝ってくれなくても
いいから！
イヤなわけ
ないだろ！
キミ達の謎解きを
手伝いつつ、
ニューヨークの
観光もできるし、
一石二鳥ってやつさ♪
それじゃあ、
捜索開始ー♪
SUBWAY
ENTRANCE
UP TOWN
ん？
ぐぉ

くっさ！
なんじゃこりゃあ！
これは、馬の糞のにおいだね…
ガラ
ガラ

ガラ
ガラ
ガラ
ガラ
ガラ
ガラ…

どうして馬糞がこんなに…？
私がお答えしましょう！
フォン

私はシプジ、スマタンの最新アプリでございます！
お2人のタイムドリフトをお助けいたします！
シ…シプ…？SHEEP？
それはヒツジ…私はバトラー、執事です!!
わたあめみたい！
食べられません！
ふょふょ
あらためて…なぜこんなにも馬糞があるのかというと、
このころ、ほとんどの人びとが移動手段として馬車を使用していたからです！
言われてみれば、馬車がいっぱい…
馬は生き物ですから、当然糞をします…それが道に溜まっている、というわけです！
ガラガラガラ

どうして掃除しないの？街の人は気にならないわけ？
まさか！気にならないどころの騒ぎではありません！
イギリスのロンドンも、アメリカ国内のほかの都市も、馬糞には大変悩まされていますよ！
こんな臭いの耐えられない～！においを消すアプリとかないの!?
残念ながら…

コレで臭くな～い！
チャーリーもどう？
き、気持ちだけ受け取るよ…
そろそろいこう！ハルちゃん達と合流するには北に向かわないと…
謎を解くヒントも見つけなきゃならないしね！
〝人も街も成長した先に答えがある〟…
いったいどういう意味なんだろ…？

うーん、そうだね…
人…はともかく…
〝街の成長〟ということでいえば、ニューヨークはまさにその渦中にあると言えるね！
ほら、見てごらん！
木がどんどん切り倒されてる!?
どこもかしこも工事中さ…
いま、ニューヨークには世界中から人びとが移住してきている！だから街は、急ピッチで整備が進められているのさ！
カンカン
カーン
カーン
ガラガラガラ

見たことがないほど
高いビルが立ち並び、
速く遠くまで移動できる
地下鉄も走り出した…
とどまることを知らず
形を変えてゆくその様は、
〝街の成長〟そのもの
って気がするね！

ちょっとさみしい
気もするなぁ…

ボクは
ワクワクが
止まらないよ！

あそこで建設中の
映画館や劇場…
全部、
ボクが満員に
してやるんだ！
ははは
すごい自信
ですね…

コナンの推理NOTE

人類の発展の歴史は、「都市」とともに始まった！

私達が暮らしている「都市」のルーツを探しにいこう！

いま、世界の人びとの55％が「都市」で暮らしている。2050年には、その割合は68％に増えるといわれているぞ（※）。世界では「都市化（都市が拡大すること）」がどんどん進んでいるのだ。実はこの都市化の流れは、暮らしやすさを求めた人類が自然を改造して「都市」をつくり始めた大昔からずっと続いている。人類の歴史は都市化の歴史なのだ。

※出典：国際連合人間居住計画「世界都市報告書 2020」

「都市」って何だろう？

人間とほかの動物の大きな違いは、人間が自然を改造してみずからが暮らしやすい環境を整えてきた点にある。そうした人間の特徴があらわれているのが、自然の中に人工的につくられた「都市」だ。約1万年前に始まった農耕・牧畜により、食料を安定して生産できるようになると、たくさんの人が集まって暮らせるようになった。そこに生まれたのが「都市」だ。より多くの人が集まって大きくなった「都市」は、その地域の政治や経済、文化の中心となっていった。

9500～7500年前の都市「チャタル・ヒュユク」（トルコ）。最盛期には8000人が暮らしていた、世界最古の都市のひとつだ。

現代の東京は世界を代表する大都市。東京を中心とする「東京都市圏」は約3800万人が暮らす、世界一の都市圏（※）だ。

人口が密集する都市では、衛生状態が悪化して感染症が発生しやすい。古代メソポタミアでも、感染症が「四つの災厄」のひとつに数えられていたんじゃ。

「都市」とは、

たくさんの人が集まって暮らす場所。

その地方の政治や経済や文化の中心地。

※都市圏……中心となる都市が影響を与える範囲のこと。

文明は都市から生まれた！

メソポタミア文明

メソポタミア文明（※）では、紀元前4000年ごろから「都市」が発達し、城壁に囲まれた中に「ジッグラト」（神殿）や王の宮殿を中心に街がつくられた。イラストはその都市のひとつ「ウル」。もっとも栄えた紀元前2000年ごろには、6万5000人が暮らしていたと考えられている。

イラクに残るジッグラトの遺跡

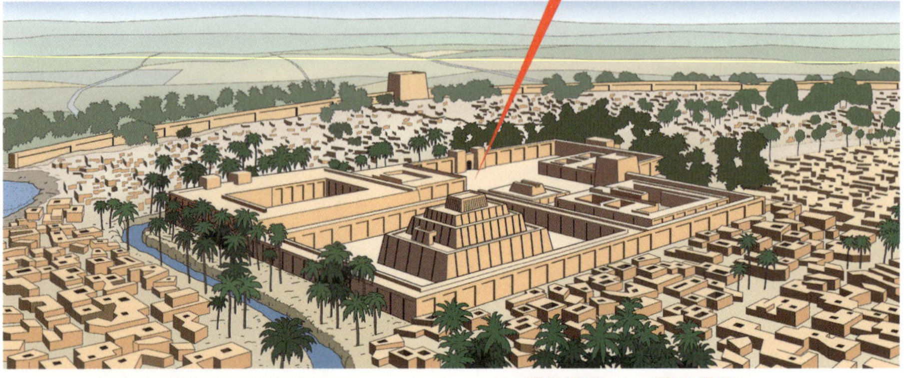

これがメソポタミア文明の発明だ！

文字（くさび形文字）

世界でもっとも古い文字。文字の形から「くさび形文字」と呼ばれる。税金や商取引の記録のために発明されたと考えられている。

青銅器

「青銅」は、銅とスズという金属を混ぜてつくる合金だ。青銅はメソポタミア文明で発明され、その後、各地で使われるようになった。

暦（太陰暦）

月の満ち欠けを基準にした暦「太陰暦」が発明された。その暦をもとにして、1週間を7日とする週7日制が考え出された。

六十進法

60秒で1分、60分で1時間。このように「60」を区切りとして数を数える方法「六十進法」は、メソポタミア文明で考え出された。

※メソポタミア文明……チグリス川とユーフラテス川にはさまれた地域（現在のイラク）で生まれた古代文明。

メソポタミア文明でつくられた青銅器の材料になる銅とスズも、地中海のキプロス島から貿易によって手に入れていたんじゃ。

都市は農村と貿易に支えられていた！

貿易

都市の生活に足りないものは、貿易によって、より広い地域から集められた。

農村

都市の中には食料を生産する農地がなく、必要な食料は都市周辺の農村でつくられた。

「都市」が成り立つには、たくさんの食料や、建物や道具をつくるための石材、木材、鉱物などの資源が必要だ。でも、「都市」はそのほとんどが、宗教や政治のための施設、人びとの住まいとして使われていたので、その中には食料や資源を調達する環境がない。必要なものは「都市」の外から集めなければならなかったのだ。食料は「都市」が支配する周辺の農村から、資源は貿易などによってより広い地域から集められた。

コナンの推理NOTE

都市の発展は、乗り物の進化とともにあり！

乗り物にも使われている「車輪」は、人類の大発明だった!?

私達のまわりには、世界中から集まった食品や製品があふれている。どれも、船や飛行機、鉄道や自動車などによって輸送されてきたものだ。「都市」の暮らしは、こうした乗り物に支えられている。そのため昔から人類は、より多くのものや人を、より速く、より遠くへ運ぶ工夫を続けてきた。中でももっとも重要なできごとだったのが、「車輪」と「帆」の発明だ。

ソリや丸木舟

人類の最初の移動手段は徒歩。植物で編んだカゴなどにものを入れ、歩いて運んでいた。その後、陸上で重いものを運ぶためのソリや、水上を移動するための丸木舟など、輸送や移動に役立つ道具が発明されたが、どれも人力で動かすものだった。

アメリカ大陸では「車輪」が発達しなかったんじゃ。荷車を引かせる動物がいなかった、道が平坦ではなかったなど、さまざまな理由が考えられておるぞ。

発明が生んだ人類の「移動革命」！

車輪の発明

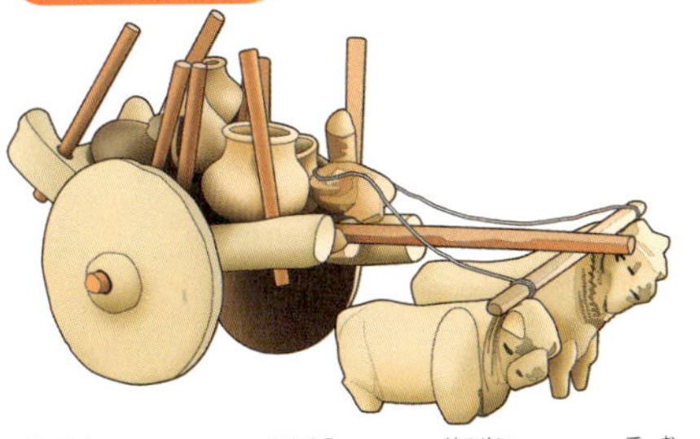

「車輪」は5000年前ごろに発明され、手押し車や動物に引かせる荷車などに使われた。

帆の発明

風を受けて船を進ませる「帆」は、少なくとも約6000年前までに発明された。

生き物や自然の力から、科学技術の力へ！

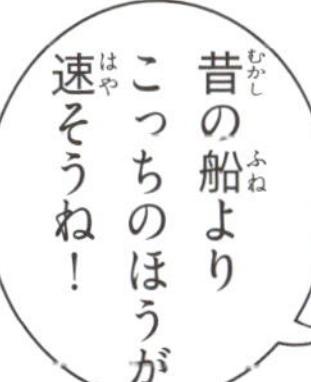

蒸気機関の発明

帆船や荷車は、数千年にわたり人やものを運ぶ道具の主役だった。それが劇的に変わったのが19世紀。蒸気の力で機械を動かす蒸気機関が発明され、蒸気船や蒸気機関車が開発されたことで、運べる量や距離が飛躍的に増えたのだ。

世界をつないだ古今東西の都市

人やものが集まる交通の要には、大きな「都市」が生まれたが、交通手段の変化の歴史の中で、栄える都市は入れ替わっていったぞ。

①パナマシティ

パナマ運河の開通（1914年）により、20世紀に大きく発展した。

世界の輸送を変えたコンテナの発明

「コンテナ」と呼ばれる金属製の箱の発明は、輸送の歴史を大きく変えた。それまでバラバラに積んでいた荷物を「コンテナ」に収めることで、積み降ろし・積み替えの労力や手間を大幅に削減することができるようになった。「コンテナ」の大きさは国際的に統一されているので、世界中どこへいっても効率よく荷物の積み替えができるぞ。

箱（コンテナ）に詰めたまま荷物の積み降ろしができる！

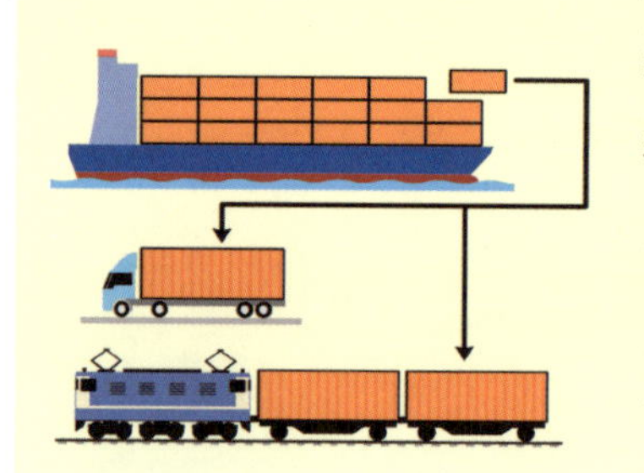

1900年に遺跡が発見されたシルクロードの古代都市「楼蘭」は、6世紀ごろに突然記録から消え、1000年以上、ゆくえが分からなくなっていたんじゃ。

③イスタンブール

アジアとヨーロッパの境に位置する「東西文明の十字路」。

②サマルカンド

内陸アジアの交通の重要都市として16世紀にもっとも栄えた。

古代の「シルクロード」

平城京（奈良県）

東京

⑤バグダッド

イスラム世界の中心地として「世界の十字路」とも呼ばれた。

19世紀から現在まで、海上交通の要として発展し続けている。

FILE. 3
マンハッタンの夢計画
あっ！ あれって、自由の女神じゃない!? 遠くてちっちゃくしか見えないけど…
何だってぇ!?

ずでー
どうしたの？

自由の女神が見えるってことは、ここはバッテリーパークだ…
ボク達、いきたい方向とは逆にきちゃったみたい…

道に迷ったってこと…？
ボクもこの街ははじめてで…ごめんよ…
自由の女神見られたし、いいけど！

次こそは迷わないから！信じて!!
こっちだ！

こっちだってさ！
ずる

最初からシツジに聞けばよかったんじゃない？
おそれいります…
それから…シ・プ・ジです…

※一旗(ひとはた)あげる…成功(せいこう)をめざして新(あたら)しいことを始(はじ)めること。

チャーリーはね、シャイすぎるんだ…

舞台にあがると緊張して、本来の演技ができない！
分かる〜！私も人前で話すの苦手で…

気づいてないんだ、自分の才能に…！

あいつは大スターになる才能を秘めているのに…
ボクよりもずっと…！
それなのにあいつ…

ケーリーさん…

すまない…いまのは忘れてくれたまえ…

スターになりたいんでしょ？チャーリー！

もじ
もじ
そ、そりゃまあ…なれるものなら…

チャーリー言霊って知ってる？
コ…コト？GODアーマー？

【言霊】古代から信じられてきた不思議な力のこと…発した言葉どおりの結果をあらわす力があるとされます！

そうそれ！大スターになる、大スターになるって言い続けていれば、かなうってコト！
マジで!?

ぷっ
かぁ〜〜
くすくす

大スターになる、大スターになる…
…これでなれるの？
う──ん…その前に、まず恥ずかしがりを何とかしよう！

想像してみて！みんなジャガイモだって！あの人も、あの人も…
POTATO？
そう！カンタンでしょ？

みんなPOTATO(ポテト)…
ボク達(たち)のまわりは
一面(いちめん)の野菜畑(やさいばたけ)…
たしかに！
その辺(へん)の人(ひと)をみんな
ジャガイモだと思(おも)えば、
たくさんいても
恥(は)ずかしくなーい♪
あっ、でも、
あの人(ひと)はちょっと
トマトっぽいなぁ…
イイヨ、イイヨー、
多様性(たようせい)も大事(だいじ)よ！
分(わ)かってるね！

Highest in the World!
Metropolitan Life Insurance
Company Tower
「世界一高いビル メトロポリタン生命保険会社タワー、近日オープン」——か…

いつまで世界一でいられるやら…
え？

〝どうせ建てるなら世界一に〟とばかりに、高いビルがあちこちで建設中なのさ… きっとすぐ、別のビルが世界一になるだろう…
カンカン
カーン

さあ、ニューヨークがビルの森になる前に、チャーリー達と合流するとしよう！
ビルの森… あっ、私、謎の答えのひとつが、分かったかも！

リク達、遅いな…
待ち合わせ場所はここで合っているはずなんだが…

ガラガラガラ
お〜い！
あれって、もしかしてチャーリー？

ガラガラ
ターン
お待たせ〜！
スタッ
リク！何で馬車なんか乗ってるのよ！

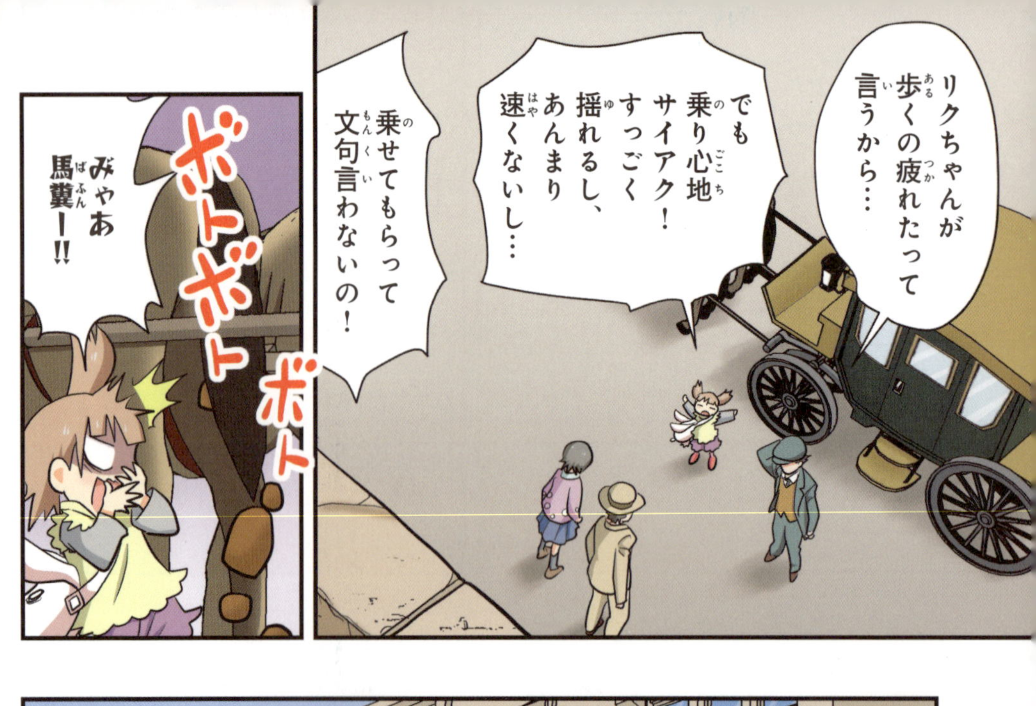
リクちゃんが歩くの疲れたって言うから…
でも乗り心地サイアク！すっごく揺れるし、あんまり速くないし…
乗せてもらって文句言わないの！
ボトボト
ボト
みゃあ馬糞ー!!

謎の答え、ズバリ〝ジャガイモ〟ってどう？
リクちゃん、それは…
違うに決まってるでしょ!!
私は謎のひとつは〝より高く！〟じゃないかと思うの！
理由は…

ドドドド

ガチャ
うわあ、車だ！
カッコイイなぁ!!
ドン

オラオラ
どけ、どけ！
あっちいけ、
シッシッ！
この車、いくらすると
思ってんだ、あぁ!?
貧乏人が
近寄んじゃねぇ！
傷なんかつけたら
ただじゃおかねぇぞ!!
ひっ

感じわるうう！
シッ！

この時代にも
自動車は
あったのね…
いままで馬車しか
見かけなかったから、
私はてっきり…

この時代…1900年ごろのアメリカにある車の総数は約4000台…
このころの車はほぼ手づくりのため、大変高価な代物で、所有者はごく一部の富裕層に限られていたのです！
えー？何これ、わたあめ…？
シツジっていうんだって！
シ・プ・ジです！
アメリカ全体で4000台なら、そりゃ滅多に見かけないか…
チャーリー、その車に触るなよ！さっきの連中見たよな？
分かってますって！

これが車かぁ…カッコイイな～…
実に興味深い！
!?
どちらさん？

ぱかっ
ほうほう、このエンジンは素晴らしいぞ…

ざわ ざわ
なるほど、こういうのもあるのか…
いいぞ いいぞ、車サイコー！

チャーリー！何やってんの!?

いや この人が…

ざわ ざわ
？
何ごとだ、この人だかりは？

お前ら、何を騒いで…

あ――、この野郎！
ボスの大切な車を!!
ざわ ざわ
ち、違います！
私達は何も…
ボス見ちゃダメ

ごちゃごちゃうるせぇ！
落とし前つけてもらおうか！

言い訳ができる状況じゃない！
逃げよう!!
は、はい！

あなたも逃げないと！
!?
ずる

待てー！
この野郎！
ゴロゴロ

ここまでくれば
ひと安心かな…
はぁ
はぁ
はぁ
もっとよく
見たかったのに…

スパァン

アンタのせいで
私達まで
怒られたのよ！
すみません…

…どうして車を
分解なんか…
車に
うらみでも
あんの？

…私は
ヘンリー・フォード…
フォード・モーター・
カンパニーの…
しゃ…
社長です…
自動車会社の
社長なの!?

フォードって…もしかしてフォード車で有名なあの…!?
ああ…車を爆発的に世間に普及させた立役者だな!
そんなにすごい人なんだ!

でも、たしか…この時代のフォード車はまだ無名のはず…
じゃあ、これから有名になるのか?

ああ、きっとな!

いまの自動車は
一台一台、職人が
部品から手づくりしている…
だから高価で
庶民の手が届かない
贅沢品扱いだ…
いまのままでは
一般には普及しない！
…永遠に…

ボクなら
バカ高い車より
速い馬を買うね！
ケーリー…

だから私は、
だれもが買える
安い車をつくり
たかったんだ！
バFF

なのに…
庶民の意見は、実際
アンタの言うとおり…
「車なんかより
速い馬がほしい」
と…
だれも車なんか
ほしがっちゃ
いない…

どうせ夢物語さ…庶民のための車をつくるなんて…

夢をあきらめないでください、ヘンリーさん!
大スターになってあなたの車を買いますから!!

先輩が!
ボクは、車なんかいらないと言っているだろ!

キミ達は俳優なのか?
ボクは…なれたらいいなぁって…でも先輩は絶対に大スターになります!

あきらめたほうがいい…
多くの俳優がこの地で夢をかなえようとやってくるが、夢破れ故郷に帰っていく…

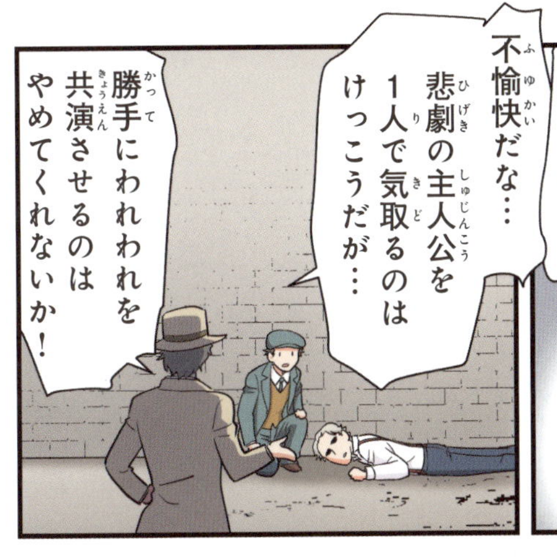
不愉快だな…
悲劇の主人公を1人で気取るのはけっこうだが…
勝手にわれわれを共演させるのはやめてくれないか!

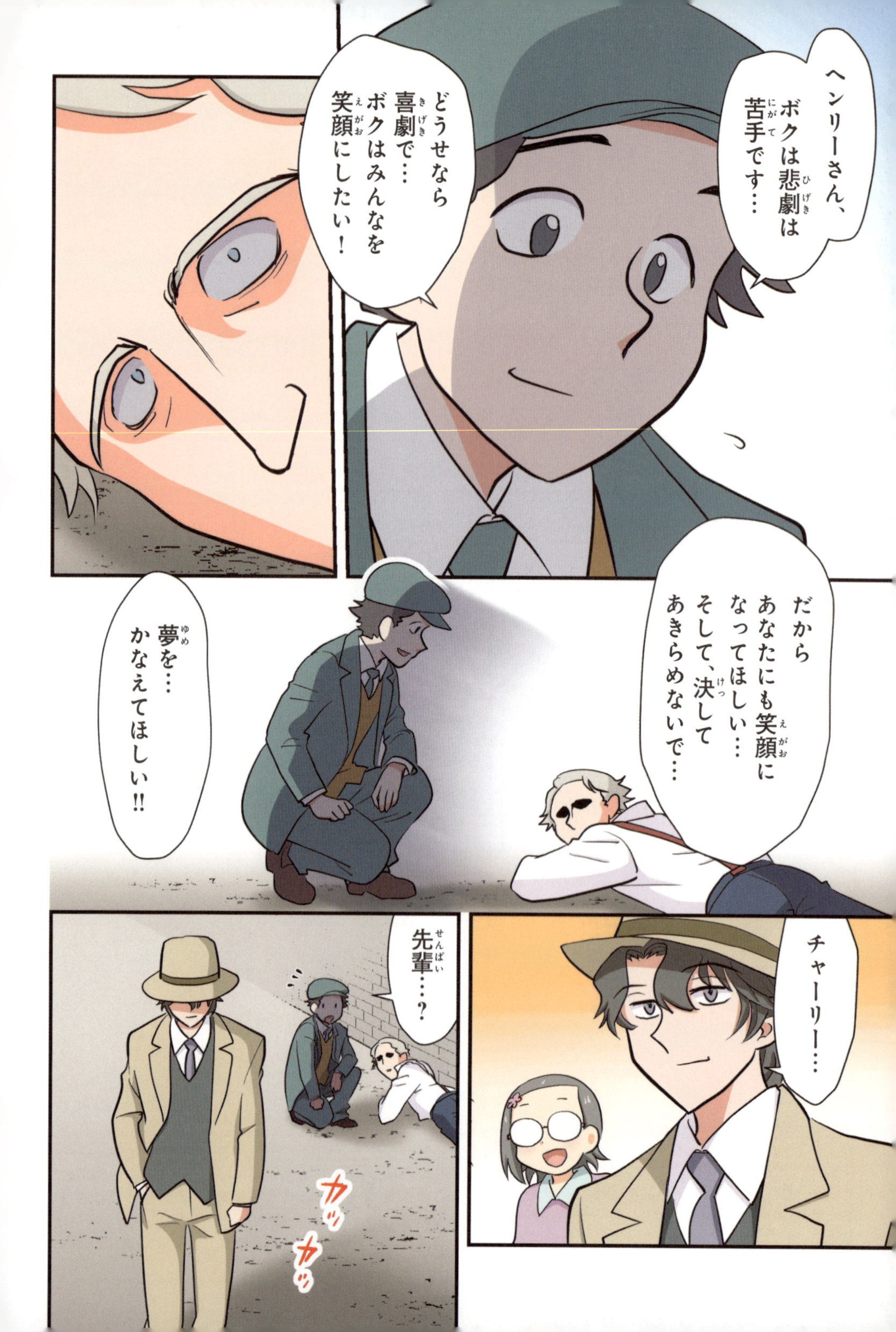
ヘンリーさん、
ボクは悲劇は苦手です…
どうせなら喜劇で…
ボクはみんなを笑顔にしたい！
だからあなたにも笑顔になってほしい…
そして、決してあきらめないで…
夢を…かなえてほしい!!
チャーリー…
先輩…？
カッ
カッ

※エンターテイナー…人びとを楽しませる方法を身につけている人。

ガッ
ぴた一一ん
ざわ
ざわ
ざわ

HAHAHAHA
なぁに、アレ？
ステキなショーだとさ！
くすくす

チャーリー、ジャガイモだよ！

タ一一ン

ざわっ

タタ一ン

カカカカ

ターン

スタッ
わー
パチパチ
パチパチ
パチパチ
パチパチ
パチパチ
パチパチ

変ですかね？
あなたが夢をかなえて
だれもが買える車を
完成させ、
アメリカ中を
あなたの車が
走る日がきたら…

だれもが自然に
あなたを
そう呼ぶでしょう、
〝自動車王〟
ってね！

私が〝自動車王〟なら…
さしずめキミは〝喜劇王〟だな!!
いいですね、それ!
〝喜劇王〟にボクはなります!!

…え？
え!?
コレって…まさか
タイムドリフト!?

そんなあぁ!!
いますっごく
いい場面なのにぃ!!

あれっ!?
ハルちゃん？
リクちゃん？

コナンの推理NOTE

天まで届く建物を建てろ！人類の高さへの挑戦！

世界各地の高層建築は、古代から現代まで続く人類の挑戦の記録だ！

世界最初の高層建築はメソポタミア文明の「ジッグラト」（50ページ）といわれている。人類は「都市」が誕生した数千年前の昔から、高層建築をつくり続けてきたのだ。19世紀末には、高層建築を支える鉄骨やエレベーターの技術が確立され、超高層ビルが建てられるようになった。人口が急増していた大都市の限られた土地を有効に使い切るために、建物は上へ上へと伸びていったのだ。

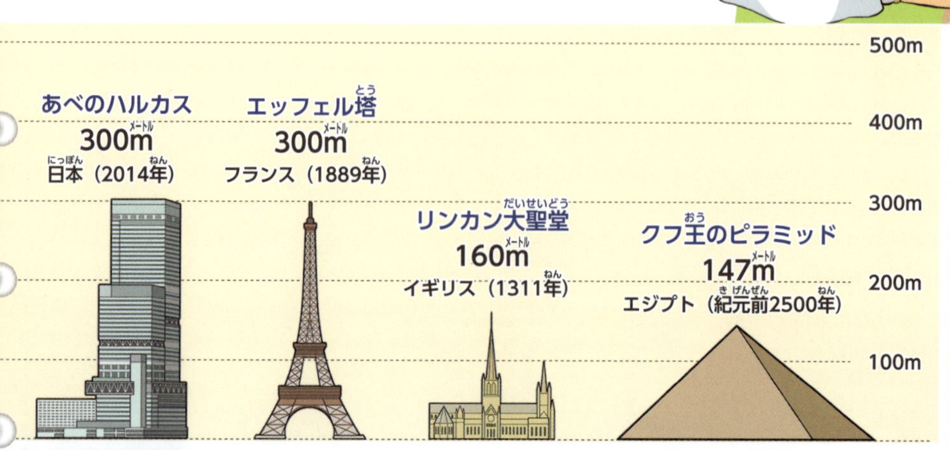

出雲大社（島根県）の古代の本殿は高さ48メートル、現代の15階建てのビルと同じくらいの高層建築だったという説があるぞ。

古今東西の高層建築、高さ比べ！

バベルの塔の伝説

『旧約聖書』（※）には、人びとが天に達する高い塔を建てようとしたことに神が怒り、それまでひとつだった人間の言葉を混乱させてたがいに通じないようにしたと記されている。人びとは工事を中止せざるを得なくなり、世界各地に散っていった。世界にさまざまな言語があるのは、そのためだという。

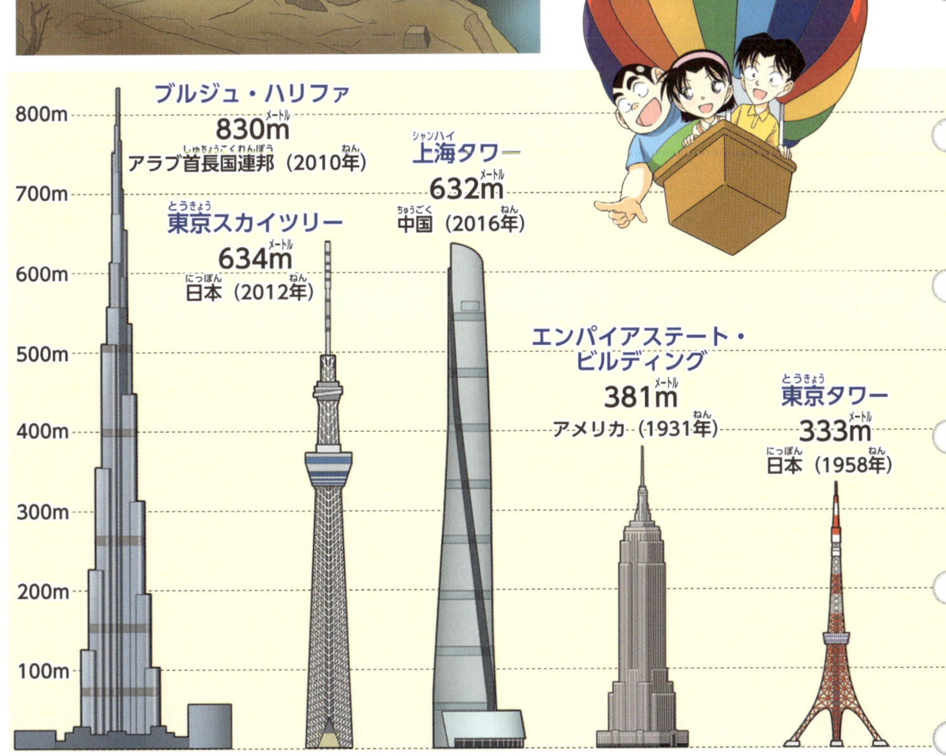

※『旧約聖書』……ユダヤ教とキリスト教の聖典。

コナンの推理NOTE

現代の都市のルーツ!? ニューヨークの歴史!!

アメリカ最大の都市ニューヨークの発展は19世紀に始まった！

自由の女神とエリス島

ニューヨークの玄関口にある「自由の女神」とエリス島。エリス島には、移民の入国を管理する役所が置かれていた。

今回の時間冒険の舞台ニューヨークは、大西洋に面した港町から発展したアメリカ最大の都市だ。高層ビルが立ち並び、街の各所を地下鉄が結び、ビジネスやエンターテインメント（娯楽）がさかんなニューヨークは、現代の都市のルーツともいわれているぞ。

現在のアメリカの首都はワシントン特別区じゃが、1789年にアメリカ最初の首都とされたのはニューヨークじゃったぞ。

ニューヨーク成長物語

先住民が暮らしていた土地に、オランダ人が植民地をつくる。

ニューヨークの歴史は、1614年にオランダ人がマンハッタン島につくった植民地「ニューアムステルダム」から始まる。その後、イギリス領となり「ニューヨーク」と改称された（1664年）。1783年にアメリカがイギリスから独立したあとも、ニューヨークは商業都市として発展を続け、19世紀から20世紀にかけて大きく成長。1930年代には世界でもっとも大きな都市になった。

産業の発展やヨーロッパからの移民（※）増加を背景に、街がマンハッタン島北部へ広がる。

20世紀にアメリカ経済の発展とともに成長したニューヨークは、21世紀になったいまも、世界の政治・経済・文化の中心地のひとつとして発展し続けている。

※移民……本来の住んでいる土地を離れて移動する人びとの総称。

ニューヨークのいろいろな顔

高層ビルが立ち並ぶニューヨーク。天に達するほど高い建物のことを「摩天楼」と呼ぶぞ。

ミュージカルの劇場などが立ち並ぶブロードウェイはエンターテインメントの発信地だ。

ニューヨーク証券取引所があるウォール街は、銀行や証券会社が集まった世界経済の中心地だ。

1973年に建てられたニューヨークの高層ビル「世界貿易センター」は、2001年9月11日の「アメリカ同時多発テロ」により破壊されてしまったんじゃ。

アメリカ各地からの鉄道路線が集まるターミナル駅（※）。アメリカの鉄道網の要だ。

世界平和と国際協力のための組織・国際連合（国連）の本部が置かれている。

マンハッタン島の中央には、南北約4km、東西約800mの緑豊かな公園がある。

ジェットコースターはニューヨーク生まれ!?

「コニーアイランド」はニューヨークの海辺にある遊園地。19世紀末にジェットコースターやループコースターを世界ではじめて設置したこの遊園地では、1927年生まれの木造ジェットコースター「サイクロン」が、いまも現役で人びとを楽しませている。

※ターミナル駅…複数の路線が乗り入れ、鉄道やバスの起点・終点になる駅。

FILE.4 喜劇王との再会

ケーリーさんの言ったとおりになっちゃった…
メトロポリタン生命保険会社タワー…
きっとすぐ、別のビルが世界一になるだろう…

ねぇ、これからどうするの？

Xの狙いは分からないけど…時代が変わっても場所が変わってないということは、その街に手がかりはあるはず…
引き続き街を探ってみて！
そうね！
まかせて！

まずはあのビルに上ってみたい！
待ってリク！
だっ

キキィー
危ない!!

ブロロロ…
び、びっくりしたぁ…
びっくりしたのはこっちよ…車には気をつけないと…
——ってえ…？
車!?

ブロロ‥
ドドド‥
ドドドドド
車がこんないっぱい走ってる!!
道路に馬糞も落ちてない!
ブロロロ‥

これ…

……フォー…ド……
!
これってもしかして…
Ford

ブオン
ヘンリーさんの会社の車!?
あっちも!そっちも!
いっぱ〜いフォードの車が走ってる!!
ドドドドド

ヘンリーさん…ぶじに夢をかなえることができたんだ!

チャーリーはどうしてるかな…食べていけてるかな…
ゼッタイ成功してる!あのダンス、すごかったもん!!

ふふ、私のおかげかもね!
!?

おいっ!

てめぇ！オレさまのことおちょくってやがんのか!?
ただじゃおかねぇぞ、おおん！
じたばた
リク…！
だっ

スパァァーン

何すんだゴルァ！
そこの人！いまのうちに逃げて！

だれか〜警察を！
ちょ待てよォ！オレ達は別に…
いいか、これは…

カット、カ～ット！
一時中断だ！
Noooo!
え？

まさか…
キミ達、これは映画の撮影で…

…って、おいウソだろ？
ご、ごめんなさい！
逃げよう！お姉ちゃん!!
だっ

キミ達…もしかして
ハルちゃん？リクちゃん？
えっ…私達の名前どうして…？

ボクだよ、ボク！チャーリーさ！
あれから27年になるというのに…あのときとまったく同じ姿じゃないか！
いったいどうなっているんだい!?
ええっ!?
そ、それはえーと…
ねえねえあれって…
わー、チャップリンがいるぞ！
わい
わい
映画の撮影かな？
あれ、言わなかったっけ…？
チャップリン…って…
ボクの名前は、チャールズ・スペンサー・チャップリンだよ！

チャーリーさんがまさかあのチャップリンだとは…
驚きです！
そんなに有名なプリンなのか…？

チャールズ・チャップリン…
大スターで〝喜劇王〟って呼ばれた人物さ！

彼の代表作には、「黄金狂時代」「街の灯」「モダン・タイムス」なんかがあるわね…
じゃあ、チャーリーさんも…
大スターになれたんだね！
Charlie CHAPLIN City Lights
Charlie CHAPLIN MODERN TIMES
CHARLIE CHAPLIN THE GOLD RUSH

大スターになるって夢、かなえたのね！
ああ…これもリクちゃんのアドバイスがあったおかげさ…
そういえばケーリーさんは…？

先輩はイギリスに帰ったよ…
ボクにはイギリスの生活のほうが合っているんだ…ただそれだけのことさ…
チャーリー、キミの活躍がイギリスまで届くことを期待しているよ！

そうだったんだ…会えなくてちょっと残念…

ねぇねぇ、ちょびヒゲ、私もつけてみたい…
いてて…一応、ボクのトレードマークなんだ、引っ張らないでくれ…
リク！

撮影、ジャマしちゃってごめんなさい…私達そろそろ…
そうかい？ゆっくりしていけばいいのに…

チャーリーさん！

出演予定の役者が２人とも事故に…
何だって!?

幸い、命に別状はないそうですが、撮影は…
それは困ったな…撮影は延期できないし、どうにか代役を…

え？
!?

※護送車…犯罪をした疑いがある人を刑務所などに移すための、警察の車。

ただそこに座ってくれていればいいよ！じゃあ、本番だ！

よ～い、アクション！

ぐっ

ボムッ

チャーリーさん!!
わー
わー
わー
みなさんもだいじょうぶですか!?

いてて…みんなぶじかい!?
だ、だいじょうぶです…
けほっ

私も…
よかった…みんなぶじみたいだね…

す、すみません!

いったい何があったんだい?

それが…アクセルを踏んだら突然…
アクセルを…？

……

…あのウワサ、ほんとうなのでは…!?

フォード社の車は欠陥品だらけっていう…
なんだって!?

コナンの推理NOTE

喜劇王チャップリンと"娯楽の王様"＝映画!!

まだテレビがなかった時代、映画は人びとの娯楽の中心だったぞ！

19世紀から20世紀にかけて産業がさかんになると、働き手となる人びとがたくさん「都市」に集まってきた。その結果、「都市」では新しい生活文化が生まれた。とくに「黄金の20年代」と呼ばれた1920年代のアメリカでは、大量生産・大量消費と、それを背景とする新しい文化が広まった。そのひとつが映画。そんな時代に活躍したのがチャールズ・チャップリンだった。

チャールズ・チャップリン

1889年にイギリスで生まれ、アメリカに渡って活躍した映画俳優・監督。ちょびヒゲ、山高帽、ステッキという独特の扮装で世界の人気者になった。笑いあり涙ありの喜劇を得意としたことから「喜劇王」とも呼ばれる。

日本で最初の映画上映は、明治時代の1896年、神戸（兵庫県）の神港倶楽部で、鉄砲商人だった高橋信治によって始められたぞ。

現代の都市文化は映画とともに

19世紀末に発明された映画は、当時の人びとに衝撃を与えた。1896年公開の「ラ・シオタ駅への列車の到着」は、スクリーンから列車が飛び出してくると観客が勘違いして、席から飛びのいたと伝えられている。当時はまだ音の出ない「無声映画」だったが、1920年代には映像と音が同期した「トーキー」が発明され、1930年代にはカラー映画も誕生。映画館は娯楽の中心地になっていった。

ハリウッドの映画館「チャイニーズシアター」。1927年開業。

「映画の都」ハリウッド

20世紀に世界の映画の中心地となったのが、アメリカ西海岸の都市ロサンゼルスのハリウッド地区だ。西海岸は天気がよい日が多く、屋外での撮影がやりやすかったためだ。1910年代ごろから映画会社の撮影スタジオが次つぎと建設され、現在も「映画の都」と呼ばれ、撮影がさかんに行われている。

大正時代の浅草映画街

1903年に日本初の映画館「電気館」が東京都浅草に開業。娯楽の中心地だったこの街について、くわしくは『日本史探偵コナン シーズンⅡ 第6巻 大正浪漫』を読んでみよう。

コナンの推理NOTE

より速く、より遠くへ！大西洋を渡るスピード競争！！

大西洋航路は、最新技術の性能を試す舞台でもあったんだ！

19世紀にアメリカの経済が発展すると、ヨーロッパとアメリカの間で人やものの移動がさかんになった。いかに速く大西洋を渡るかが、競われる時代がやってきたのだ。はじめは船だったが、飛行機や飛行船が発明されると、競争の舞台は空にも広がった。大西洋に面したニューヨークは、そんなスピード競争の舞台のひとつだった。

1818年、帆船による定期航路がイギリスとアメリカの間に開かれた。所要日数は40日ほどだった。

大西洋最速横断記録を持つ船に与えられる「ブルーリボン賞」。現在の保持者は、1998年に2日と20時間の記録を打ち立てた「キャットリンク5」じゃ。

タイタニック号の悲劇

タイタニック号は初航海中の1912年4月14日の深夜、大西洋上で氷山と衝突し、翌日未明に沈没した。約1500人が犠牲になり、生き残ったのはわずか710人だった。

タイタニック号の航路

ダブリン

ニューヨーク

沈没した場所

当時、世界でもっとも新しく、もっとも大きかった豪華客船。大西洋を6日間で渡る予定だった。

大西洋を越えたリンドバーグの栄光

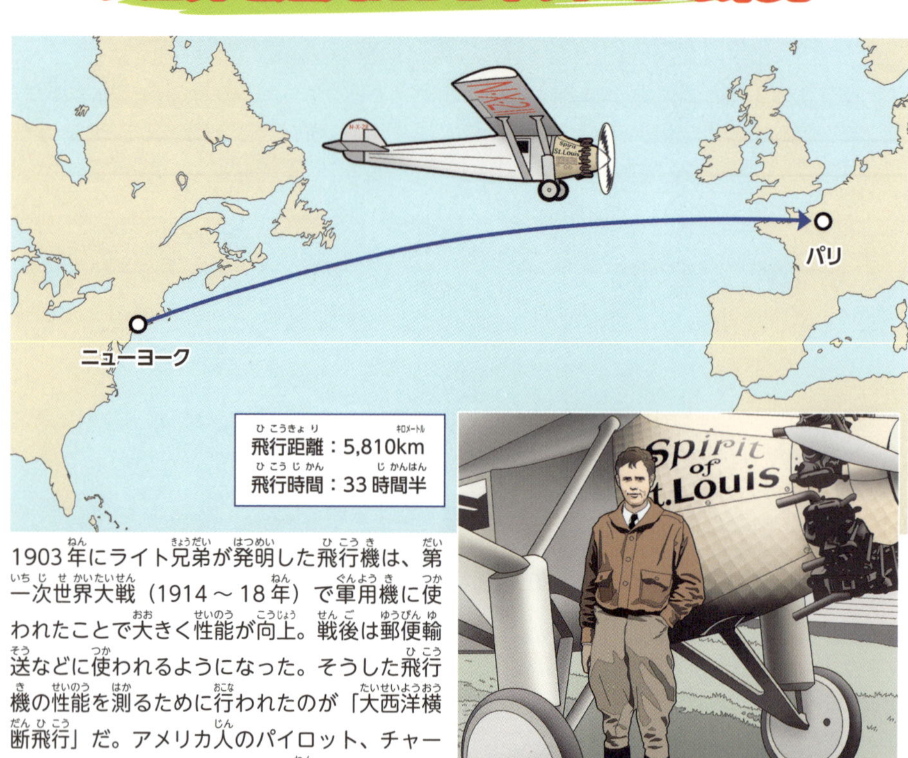

1903年にライト兄弟が発明した飛行機は、第一次世界大戦（1914～18年）で軍用機に使われたことで大きく性能が向上。戦後は郵便輸送などに使われるようになった。そうした飛行機の性能を測るために行われたのが「大西洋横断飛行」だ。アメリカ人のパイロット、チャールズ・リンドバーグは、1927年にニューヨーク～パリ間を33時間半で飛び、世界初の「大西洋単独無着陸飛行」を成功させた。

2人の女性の世界をめぐる大競争

19世紀に蒸気船航路で世界がつながると、世界一周旅行に出かける人があらわれた。中でも有名なのが2人の女性新聞記者、エリザベス・ビスランドとネリー・ブライだ。どちらが早く世界一周できるかを競った2人は1889年から1890年にかけて世界を一周。わずか4日の差で勝ったのはブライだった。

所要日数は、ビスランド（左）が76日半、ブライ（右）が72日6時間だった。

飛行船時代の終わりを告げた大事故

大型の旅客機がつくられるようになるまで、より多くの人を運べる飛行船（※）が空の旅の主役だった。1919年にはイギリスの飛行船R34が大西洋横断に初成功。1930年代には大西洋横断の定期航路が開かれた。しかし、大西洋航路に就航していたドイツの飛行船ヒンデンブルク号が、1937年にニューヨーク近郊の基地で爆発炎上。この事故をひとつのきっかけとし、飛行船の時代は幕を下ろした。

世界最大の飛行船ヒンデンブルク号の展望デッキには、レストランもあった。

1976年に大西洋航路に就航した超音速旅客機「コンコルド」はリンドバーグの10分の1、3時間半足らずで大西洋を渡ったぞ！

※飛行船……空気よりも軽い水素・ヘリウムなどのガスをガス袋に満たして空中に浮かび、プロペラで航行する航空機の一種。

FILE. 5

疑惑のフォード車

※賠償金…他人を危険な目にあわせた人が、被害を受けた相手に支払うお金のこと。

フォード社製の車による事故が多発していてね…
フォード車、またも大事故！
“走る棺桶”フォード
フォード社の車は品質を犠牲に大量生産していて、安値につられた大衆は“安物買いの銭失い”…だなんて、新聞でもたたかれ始めているんだ…
何とかヘンリーさんと話ができたら…
おい…あれフォード社長じゃないか!?
ざわっ
ホントだ！社長みずから何するつもりだ？
謝罪に決まってるさ！
社長！お待ちを!!
ざわ
ざわ
ざわ

ざわ
ざわ
お集まりのみなさんにひと言述べさせていただく…！
Driving!
ざわ
ざわ

フォード社は本日をもって車の生産をストップする！
もう工場は稼働させない！
ざわっ
Stop the FORD!
以上！
ざわ
ざわ
ざわ
ざわ
ざわ

ヘンリーさん…
彼が車づくりをやめるだって？信じられない！

ヘンリー！
あっ、リク！
たたっ

社長…どうしてあのような…
うるさい！1人にしてくれ！

ヘンリー！
ちょっと！ここは関係者以外立ち入り禁止です！社長へは秘書の私が…

なぜ子どもがこんなところに…
申し訳ありません！

さっさとつまみだせ…
ガチャ
ヘンリー!!

この薄情モンー!!
スパァン
リクー──!!

リク…！

ヘンリーさん！
ヘンリー…
ハルちゃん…
チャーリー…

……

社長はお疲れです、お引き取りを！

ひと言も話せなかった…
でも、望んで工場を閉めるような様子じゃなかったな…
とぼ
とぼ

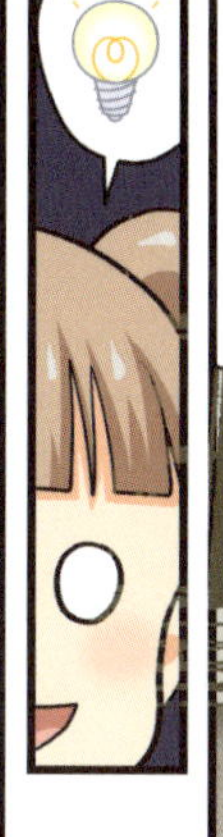

いいこと思いついた！
ホントかい、リクちゃん！
この感じ…悪い予感しかしないわ…

よっ、お疲れ！
お、お疲れさまです…
ん？新入りか？帰れ帰れ！工場は当分休みだ!!
雇われたばかりで気の毒だが、社長の決定だからな…
せ、せめて工場見学だけ…
…じゃあ、戸締まりは頼むぜ！
フォード社は次つぎに人を雇っているから、初対面の人がいても怪しまれないと思う…って、コナン君が言ってたとおりだね！
映画の衣装も効果バツグンでしょ？

まさかコナン君がリクの作戦に賛成するなんて…
工場潜入か…いまのところ手がかりはそれしかなさそうだね…
待って、コナン君！もし仮にリクの言うようにうまく工場に入りこめたとして…

工場でつくられた車って出荷前に検査をされてるんじゃないの？
ヨシ！
想像
その検査で見落とされる不具合や故障なんて、私達に分かる…？

だいじょうぶ！ボク達がサポートするよ！

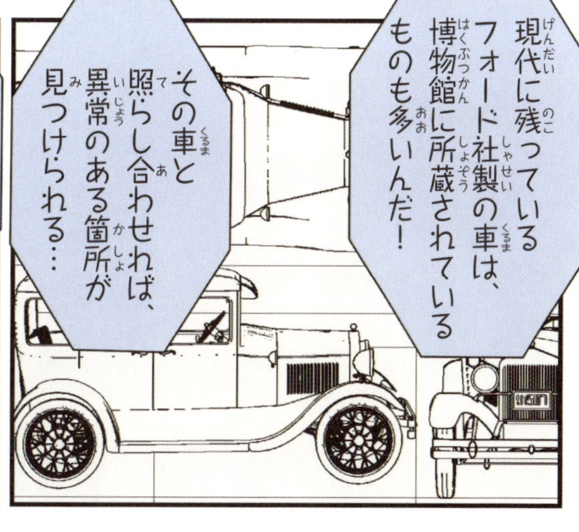
現代に残っているフォード社製の車は、博物館に所蔵されているものも多いんだ！
その車と照らし合わせれば、異常のある箇所が見つけられる…

ハルさん達は、いろいろな角度で、できるだけ多く、工場の車を撮影して！
わ、分かったわ！

わー、車がたくさん！
やっぱり本物は絵になるなぁ…映画の撮影に使わせてもらえないかなあ…
どんどん撮るわよ！

ピッ

ピッ

ピッ

ボクにも手伝えることはあるかい？
ありがとう、じゃあ少し代わってもらおうかな…

ここをこうして…
ピッ
ピッ
わあ！これ、触ってみたかったんだよね♪
わくわく

次はこっちの車だ！
ん？

ドン
うわあ！
ゴロ
ゴロ
チャーリー!?

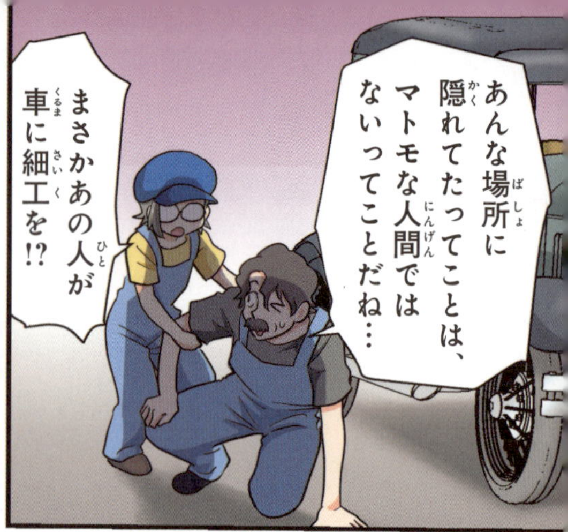
あんな場所に隠れてたってことは、マトモな人間ではないってことだね…
まさかあの人が車に細工を!?

待てー!!
リク、むちゃしないで!
ダッ

ガチャ
ガチャ
ククッ

ぱしっ

キラッ

ガシャン
リク！
ギュウウウウウ
あああ
みゃ！

がくっ

きゃあああ！
ずぼっ
ハルちゃん、リクちゃん！

ガチャン
ガチャン
ガチャン

ガシャン

2人ともぶじかい!?
ありがとう、平気よ…
アイツは!?
すまない…見失ってしまった…
ハルさん、リクさん!
コナン君!
送ってもらった写真の分析ができたよ!
結論から言うと…その工場のほとんどの車に異常があったんだ…

いや…故障するよう何者かに細工されていた…と言ったほうが正確かな…
じゃあ、ヘンリーさんのつくった車自体に、欠陥があったわけじゃないのね!

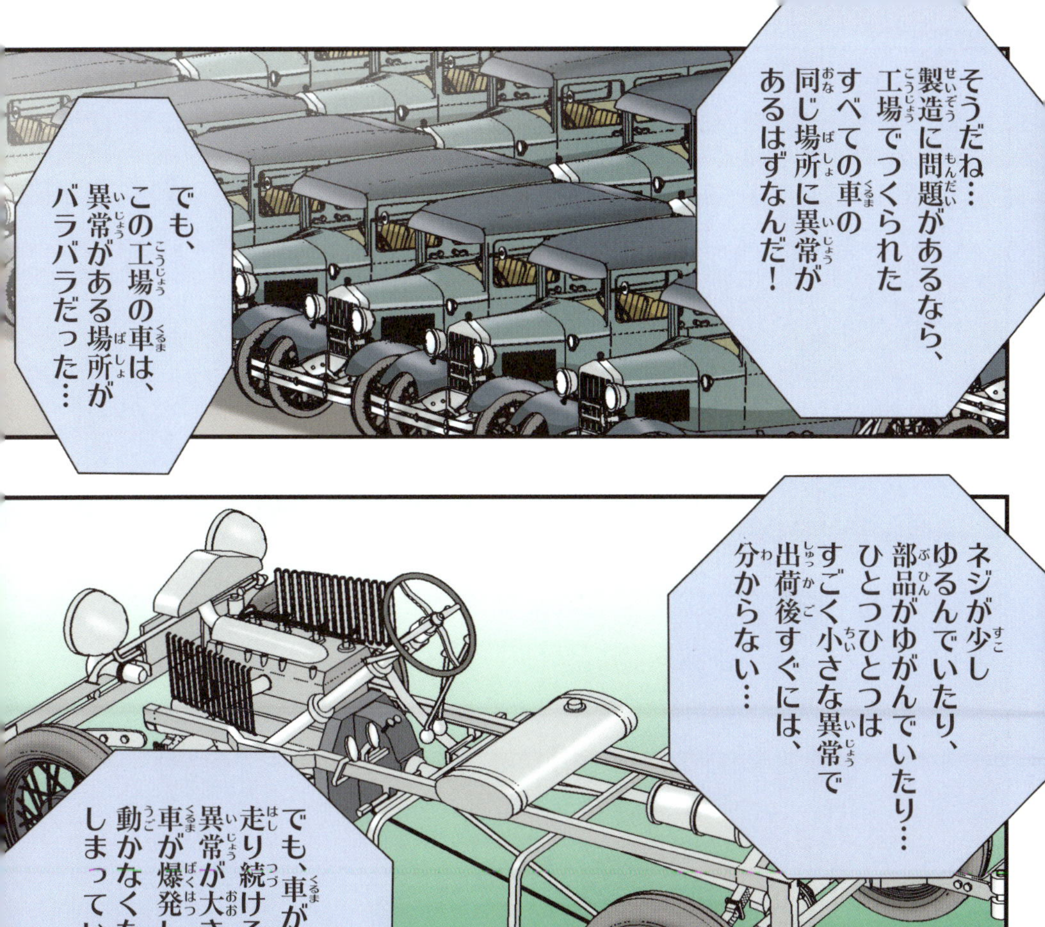
そうだね…製造に問題があるなら、工場でつくられたすべての車の同じ場所に異常があるはずなんだ！
でも、この工場の車は、異常がある場所がバラバラだった…
ネジが少しゆるんでいたり、部品がゆがんでいたり…ひとつひとつはすごく小さな異常で出荷後すぐには、分からない…
でも、車が走り続けるうちに、異常が大きくなって、車が爆発したり、動かなくなったりしてしまっていたんだ…

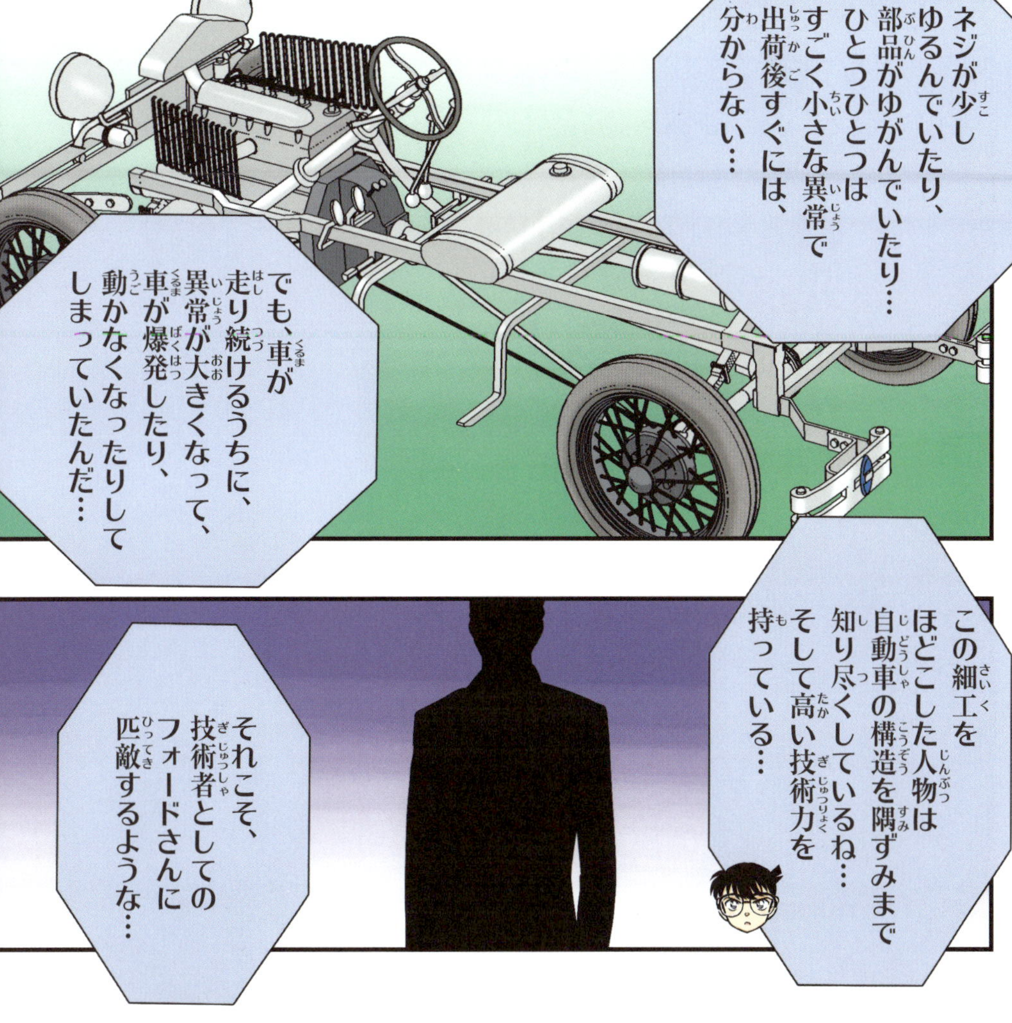
この細工をほどこした人物は自動車の構造を隅ずみまで知り尽くしているね…そして高い技術力を持っている…
それこそ、技術者としてのフォードさんに匹敵するような…

でも、これではっきりしたわ！連続している自動車トラブルは、フォード車の品質が原因じゃなかった！
ヘンリーさんは車をつくるのをやめなくていいのよ！
このことを早くヘンリーさんに知らせないと！
そうだね！
あの秘書がまたジャマしてきそう…
ボクがパントマイムで彼の注意を引くよ、そのすきに…
タタタ

そういえばリク！さっき犯人を追いかけてたとき、何か拾ってなかった？
あっ、そうだった！

ペンダント…？

これって花…？
お星さまじゃない？

キミ達…
Gentleman

ガチャリ
ギィィィ…

それを私によく見せてくれないか…？
あなたは…!?

ざわ
ざわ
ざわ

ざわ
ん？何だあの連中は？
アイツらもデモ参加者かな？
ざわ
ざわ
おっ、おい…あれ見ろ！
ざわ

フォード社長のお出ましだ！
社長…！どういうおつもりでこんな…
こりゃあ何かサプライズがあるかもしんねえぞ！社長辞任とか…
そうなりゃ、われら大勝利ってことじゃねぇか！
ざわ
ざわ
ざわ

何かあったのか？
あっ、ウィルソンさん…
娘さん急病じゃ…もう平気なんで？
あ、ああまぁな…それより連中、いったい何を始めようってんだ？
さぁ…
重大なことをお知らせします！
私達は、最近起きているフォード社製の車の欠陥について、独自に調査しました！
ざわっ
キ…キミ達…何を勝手なことを!?
結論から言います…

この工場で製造されたほとんどの車に、異常があることが分かりました！

アイツら何者だ!?
何者だろうと関係ねぇ…
大事なのは、フォード社が善良な市民に不良品を売りつけやがるひでぇ会社ってことよ！そうだろ!?

言いがかりはやめていただきたい！わが社の車に問題など…！
ウソついてんじゃねぇ！見苦しいぞ！
待ってください！

たしかに、いま私は
この工場で製造された
ほとんどの車に
異常がある
…と言いました！
でも、それは
フォード社製の車に欠陥がある
ということではありません！
Stop the FORD!
FORD You're FIRE!!
I won't buy it AGAIN
Destroy the CAR!

Stop the FORD!

ざわ
どういうことだ…？
さあ…
意味分からん！
なぞなぞか？
ざわ
ざわ

何者かが
製造された車に
細工を…
故障につながるような
細工を
ほどこしていたんです！
ざわっ
何だって!?
Stop the FORD!
FORD You're FIRE!!

Stop the FORD!
そうですよね、ウィルソンさん！

はあぁ!?
何で急に名指し…

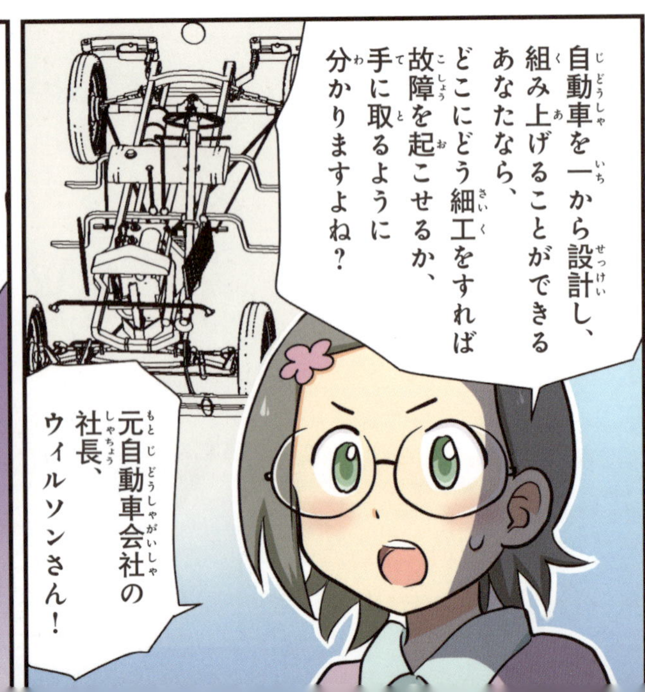
自動車を一から設計し、組み上げることができるあなたなら、どこにどう細工をすれば故障を起こせるか、手に取るように分かりますよね？
元自動車会社の社長、ウィルソンさん！

いきなり何言い出してんだ!? ふざけてんじゃ…
…ん？
ちょっと待て!! そもそもなんでオレの名前を知っている!?

あなたの会社がつくる車は
一台一台が手づくりで、
だからこそ高価だった…
ヘンリーさんが
安く車を
売り出したことで、
あなたの会社は
車が売れなくなって
倒産してしまった…

アンタは、ヘンリーに
うらみがある！
動機は十分ってわけ！

クッ…たしかに
フォード社に
うらみはある…
だが、それだけだ！
オレは断じて
車に細工など
してない!!

そんなことより…！
いいかげんにしろよ！
証拠もなしに
人のことを…
まるで犯人
みたいに！

チャリ

犯人が逃げるときに落としたものです…
知らん!!
その不細工なサイドギアが何だってんだ…
ギア…なのか?
ウィルソンさん、あんなちっこいのよく見えるな…
このネックレスについている歯車、これは車の部品なんですね…
大事にネックレスにして持ち歩いて…
ウィルソンさんの思い出の品なんですね…
そんなもの、…知らん!

あっ、そう…
じゃあ、
捨てちゃお～っと！
ぽいっ
ま、待て！
やめてくれ!!

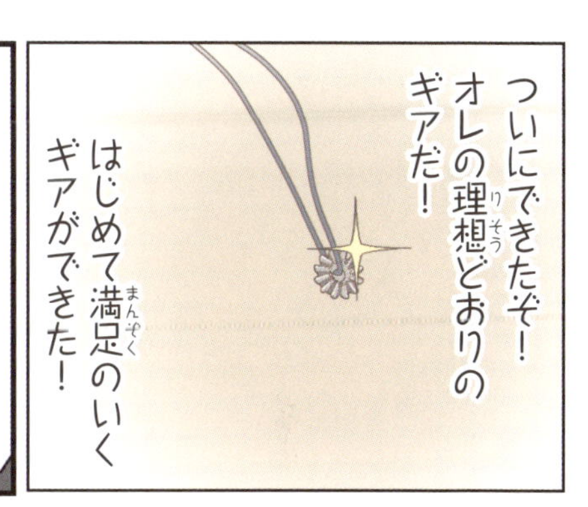
ついにできたぞ！
オレの理想どおりの
ギアだ！
はじめて満足のいく
ギアができた！

やっぱり
アンタのじゃない！

…そうだ、
犯人はオレだよ…
フォード社の車が
危険だと思われれば、
もう一度オレは
車づくりができるかも…
そう思ったんだ…
ガッ

フォード…
このギア…
私は、ひと目であなたがつくったものだと分かりましたよ、ウィルソンさん…
えっ？
こうしてお会いするのははじめてだが、あなたがつくった部品は見まちがえようがない…

私はあなたがつくった車を何度も分解しては組み立て、図面に起こし…
部品のひとつひとつを枕元に置いて眺めながら眠りにつき、夢の中でも組み立てたものさ…
ヘンリー…イイ話風に語ってるけど…
車を気ままに分解するのはちょっとね…
ひとつ提案なんだが…
私の会社に、力を貸してもらえないだろうか?
あなたの技術があれば、もっと安全で快適な車がつくれると思うんだ…

オレは、人として…技術者として…やっちゃならねぇことをした…
アンタはそれを許すのか…?

私も数えきれないほどの失敗をくり返してきたさ…

失敗するのは人の常だ…
失敗を認め挽回できる者が偉大なのだ…
ともに未来へ進もう!!

めでたし、めでたし?
そのようだね…

ぶっちゃけあの秘書が怪しいと思ってた…
フォードさんや会社を守るために、憎まれ役をしていたのよ…
ってことは、お姉ちゃんも「感じわるっ」って思ってたんじゃん!

リク！
冗談だってば！

どん
あっ…

ご、ごめん…

ほんとうに…読めない動きをしてくるな…
とくに妹のほう…
ザッ
ゴゴゴゴゴゴ

コナンの推理NOTE

城下町、宿場町、港町…日本の都市の歴史に迫れ！

読者のみんなも自分が暮らす街の歴史を調べてみよう！

「都市」の成り立ちには、その土地の自然や歴史が大きく関係している。日本の「都市」はまず、「藤原京」や「平城京」「平安京」のような国の都としてつくられた。どれも中国の都を手本としていたが、その後、日本の自然や暮らしに合った「都市」が、各地で生まれるようになった。「都市」の歴史は、そこで営まれてきた人びとの暮らしの歴史なのだ。

日本最初の本格的な都市「藤原京」

唐（中国）の都をお手本に持統天皇が完成させた。現在の奈良県橿原市に位置し、694年から710年まで日本の都が置かれていた。

神社や寺院の門前に発達した町を「門前町」と呼ぶぞ。善光寺の「門前町」から発展した長野県長野市など、「門前町」をルーツに持つ都市も多いんじゃ。

都市のルーツはさまざまだ！

城下町

県庁所在地には、江戸時代に城を中心として形づくられた城下町から発展した都市が多い。イラストは山形城（山形県山形市）を描いた絵図。城下町は、敵の侵入を防ぐ堀で区画され、武士や町人が住む町が計画的に配置されていた。

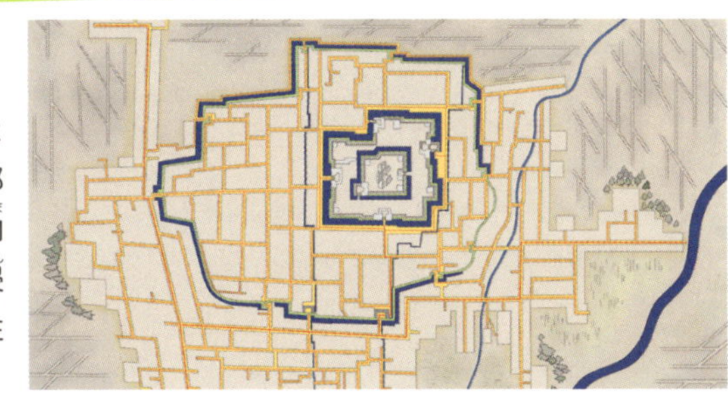

宿場町

街道（大きな道）沿いに開けたのが宿場町。道路に面して宿や問屋が並び、たくさんの人やものが行き来した。宿場町から発展した都市には、いまでも商業がさかんな街が多い。イラストは江戸時代の大津（滋賀県大津市）の風景だ。

港町

日本第2の大都市・神奈川県横浜市は江戸時代末期まで小さな漁村だった。しかし1859年に外国船を受け入れる港が開かれたのをきっかけに急速に発展。明治時代には、外国との貿易で栄える国際都市に成長していた。

コナンの推理NOTE

世界の交通と産業を変えた「T型フォード」誕生！

いつから「クルマ社会」と呼ばれる世の中になったのだろう？

20世紀に移動や輸送の主役になったのが自動車だ。自動車の歴史は18世紀に発明された蒸気自動車から始まるが、19世紀末にガソリン自動車が登場し本格的な普及が始まった。そのきっかけになったのが、アメリカの自動車会社フォード・モーター・カンパニーが開発した「T型フォード」だった。それまでの暮らしを大きく変え、現代の「クルマ社会」を生み出した、自動車の歴史を見にいこう！

ガソリン自動車より先に電気自動車は発明されておったぞ。ニューヨーク最初のタクシーも電気自動車が使われていたんじゃ。

流れ作業で大量生産！「フォード式」工場

T型フォード

1908年に発売されたT型フォードは、販売が終了する1927年までの間に1500万台以上が生産された。人気の理由は、性能や運転しやすさに加え、他社より圧倒的に安い価格だった。それを可能にしたのがベルトコンベアによる流れ作業などで作業効率を高める「フォード生産方式」だ。大量生産を可能にするこの方式は、その後の工業に大きな影響を与えた。

映画「モダン・タイムス」

チャップリンの映画「モダン・タイムス」は、人間を歯車のように働かせる工場に疑問を投げかける作品だ。

都市の移動の主役になった車

モータリゼーション

自動車が世の中に広まり、生活に欠かせない道具になることを「モータリゼーション」という。1920年代のアメリカで進んだ「モータリゼーション」は、世界中に大きな影響を与えることになった。自動車に合わせて「都市」の形が変わり、そこでの人びとの暮らしかたも大きく変化したのだ。

日本でも

日本の「モータリゼーション」は1960年代に始まった。あまりに急速に進んだため、自動車の増加に道路の整備が追いつかず、交通渋滞や交通事故が増えて「交通戦争」という言葉が生まれたほどだった。

鉄道を中心に街をつくった小林一三

明治時代から昭和時代にかけて、鉄道路線と沿線都市の開発を組み合わせて行った人物が阪急電鉄の創業者・小林一三だ。環境のよい郊外に住宅地をつくって、沿線に開発した保養地や娯楽施設と鉄道で結ぶことで、より豊かな生活を提供しようとしたのだ。小林が1929年に「梅田駅」に直結して開業した「阪急百貨店」は、世界初のターミナルデパートとして知られているぞ。

中心市街地にあった映画館が閉館し、郊外の「シネマコンプレックス」が映画鑑賞の主流になったのも「モータリゼーション」の影響なんじゃ。

車が変えた都市の形「ドーナツ化現象」

「モータリゼーション」がもたらした「都市」の大きな変化が「ドーナツ化現象」。自動車で利用しやすい郊外へ「都市」が拡大していった結果、中心市街地に集まる人が少なくなる現象だ。

中心市街地

シャッター商店街

「ドーナツ化現象」により、それまでの中心市街地のにぎわいが少なくなり、シャッターを下ろした店ばかりが並ぶ「シャッター商店街」が増えた。

郊外型大型店舗

「モータリゼーション」により自動車が人びとの移動手段の中心になると、自動車で利用しやすい郊外の幹線道路沿いに、広い駐車場を備えた大きな商業施設が生まれた。

コナンの推理NOTE

未来の都市はどうなる!?メガシティvsコンパクトシティ!

私達は将来、どんな都市で暮らすのだろう? いっしょに考えてみよう!

これまでの歴史の中で、「都市」はさまざまに形を変えてきた。人口が減り、高齢者の割合が増える日本などの先進国では、比較的せまいエリアに都市の機能を集める「コンパクトシティ」の取り組みが進んでいる。一方、「人口爆発」と呼ばれるほど人口が増え続けているアフリカやアジアの国ぐにでは、「メガシティ」がどんどん生まれていくと予想されている。

ムンバイ（インド）やラゴス（ナイジェリア）は、近年、アジアやアフリカで増えている「メガシティ」を代表する都市だ。たくさんの人が集まることで経済がさかんになる一方で、貧しい人びとが暮らす「スラム」の拡大や、交通渋滞や環境問題の悪化などが心配されている。

2023年に栃木県宇都宮市と芳賀町に開業した「宇都宮ライトレール」は、国内では75年ぶりとなる路面電車の新規開業として注目されているぞ。

暮らしやすさを求める「コンパクトシティ」

中心市街地への自動車の乗り入れを制限するなど、暮らしやすい街づくりをしている。

「コンパクトシティ」ってどんな街？

生活に不可欠な病院や役所、商店などを中心に集め、暮らしやすさを高める工夫をした「都市」が「コンパクトシティ」。移動手段には、ライトレール（※）や自転車が活用されている。

※ライトレール……人と環境にやさしい設計の新型路面電車。

ゴゴゴゴゴゴ
FORD You're FIRED
FILE. 6
謎の答えは、はるか?へ!?

にやり

アンタがXなんでしょ!
謎の答えをしゃべってもらうかんね!

ふふっ、その必要はないさ…答えならすぐそばにあるぜ…
スッ
今回は見事に事件を解決したお前達に…
出血大サービスだ！
!?

えっ？

ゴウン
ゴウン
まさか…

ドーン

あの飛行船の中に
答えが…!?

あ——っ
消えちゃった!!

ゴウン
ゴウン
飛行船がどこか
いっちゃう!
待て——!!

キィッ
2人とも
乗って!
バン
ヘンリーさん!
チャーリーさん!

すごーい速い速い！
これなら飛行船に追いつける！
なんなら追い越そうか？
リクちゃん！しっかりつかまってて！

自慢じゃないが、昔、自作のレーシングカーでレースに出場して優勝したこともあるんだ！
飛行船との競争ははじめてだがね！
おお――――！ヘンリーカッコイイ!!

すっかり日が落ちたな…
ドドドド…

む!?

しまった…見失ったかもしれないぞ!
ははは、チャーリー うしろ、うしろ!

追い抜いてどうすんのよ!

だいじょうぶ!行き先の見当はついてるさ!

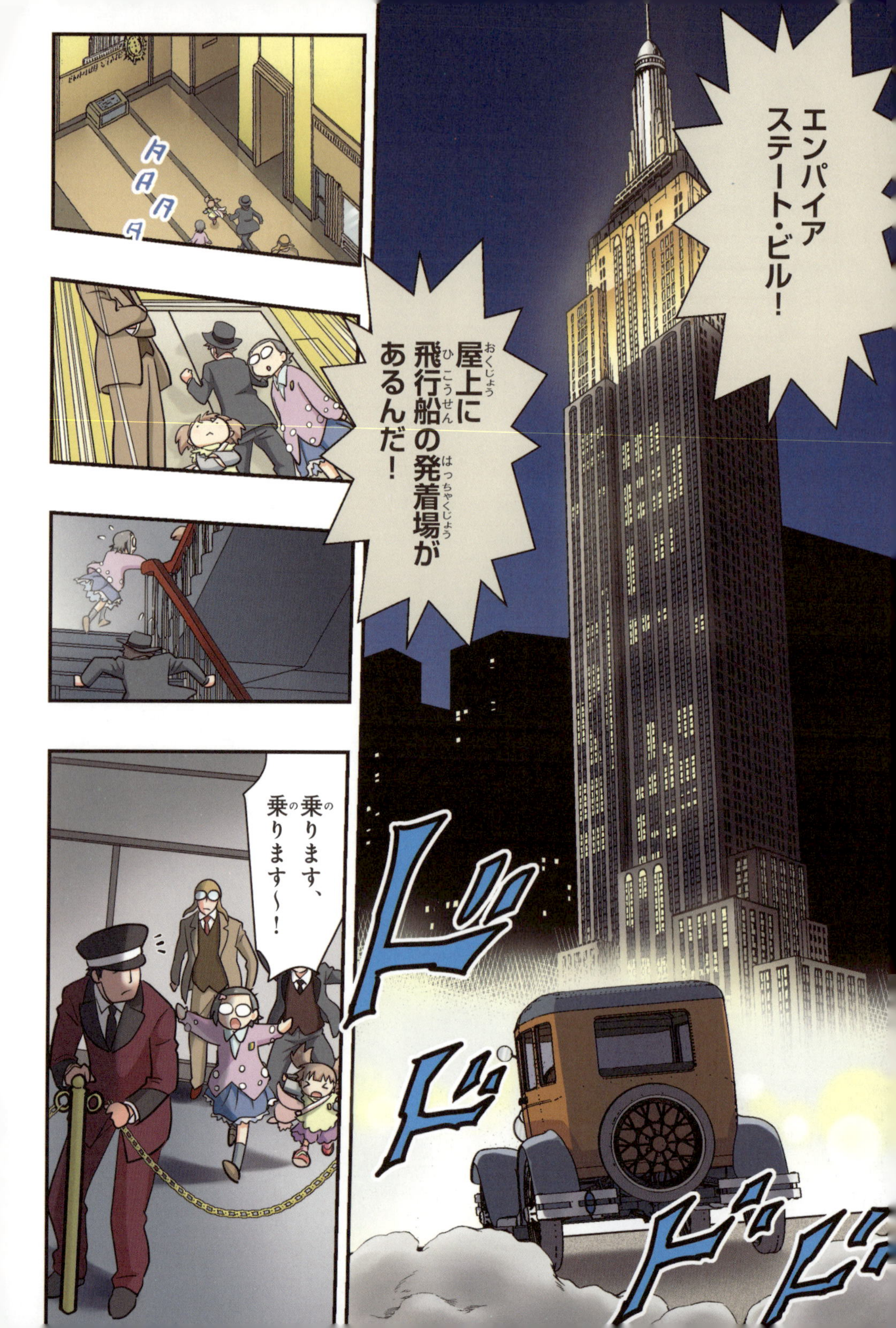
エンパイアステート・ビル！
屋上に飛行船の発着場があるんだ！
乗ります、乗ります〜！

ダメダメ！
まだ試運転中で、
営業は明日からだ！
そんな…
キミ、ちょっと
いいかな？
実は、飛行船に
わが社の広告を
載せたいと
考えていてね…
宣伝効果の参考に
飛行ルートを
実際に乗って
たしかめたいんだが…
迷惑かな？
あ、あなたは
ヘンリー・フォード氏!!
そういうことであれば
どうぞ、どうぞ！
ふかふかのクッションを
いますぐお持ちしますね！

そっちはどう？
何にもない〜！
それらしいものは見当たらないが…

隅っこのほう、暗くてよく見えないよ！
明るくできない？

船内の灯を消してください！
お姉ちゃん!?

キミ、頼む！
承知いたしました！

街が真っ暗…

いや…見て！街の灯が…

お姉ちゃん、これって……！
うん！
より〝速〟く！
より〝高〟く！
ピピピッ
ピピッ

より〝遠〟くへ！
ピッ
ピピッ
ピコーン！
CLEAR
歴史は
より速く
より高く
より遠く
やったね！
クリア〜!!

人も街も成長した先に答えがある…
エンパイアステート・ビルが建って、飛行船が飛ぶようになって…
つまり、街が成長してようやく見られた景色なのね…
これからも街が成長を続けたら、いままで見られなかった新しい景色が見られるのかな…
ハルちゃん、リクちゃん！この光は…!?
パァァ…
あ…もうお別れみたいです…

ヘンリーさん、お世話になりました！
チャーリー…
こちらこそ！キミ達のおかげで車づくりが続けられるよ、ありがとう！
国に帰っても元気でね！

バイバ〜イ！

未来はなかなかにぎやかそうだね…

ハルさんとリクちゃん…謎が解けてよかったですね！
街が成長するってこういうことだったんだな！

歩美も飛行船、乗ってみたいな！ね、コナン君！
え!?ああ…

…なあ
エンパイアステート・ビルは実際に飛行船の発着場としては運用されなかったよな…

試みはあったそうだけどね…
まあ、飛行船が停泊する世界一高いビルなんて、宣伝効果は抜群だったでしょうけど…

■摩天楼の謎を解き明かしたハルとリク！　次回、Xの正体に急接近!?

それより…
くるっ
Xの手がかりはつかめそう？
いいや…まだ狙いも正体も分からねぇ…

●世界史探偵コナン シーズンII③ 街と歴史 摩天楼の未来計画●おわり●

名探偵コナン歴史まんが

世界史探偵コナン・シーズン2

3［街と歴史］摩天楼の未来計画（ランドスケープ）

2024年7月22日　初版第1刷発行

発行人　野村敦司
発行所　株式会社　小学館
〒101-8001
東京都千代田区一ツ橋2-3-1
電話　編集　03(3230)5632
　　　販売　03(5281)3555

印刷所　TOPPAN株式会社
製本所　牧製本印刷株式会社

ISBN978-4-09-296726-7 Shogakukan.Inc

◇原作／青山剛昌
◇シリーズ構成／田端広英
　カラビナ
◇まんが／谷仲ツナ　八神健　狛枝和生
◇カバーイラスト／太田勝　八神健
◇イラスト／九里もなか　加藤貴夫
◇脚本／能塚裕喜　増田友梨（カラビナ）
◇記事構成／田端広英
◇ブックデザイン／竹歳明弘（Studio Beat）
◇カラーリングディレクター／
二野戸聡　蒔田典尚　木村慎司
（株式会社トッパングラフィックコミュニケーションズ）
◇校閲／目原小百合
◇編集協力／増田友梨　鷲尾達哉　和西智哉
（カラビナ）

◇制作／浦城朋子
◇資材／斉藤陽子
◇宣伝／内山雄太
◇販売／藤河秀雄
◇編集／藤田健彦

［参考文献］
『《世界歴史大系》アメリカ史2 1877年～1992年』（有賀貞著、大下尚一、志邨晃佑、平野孝編、山川出版社）、『史料で読むアメリカ文化史3』（佐々木隆、大井浩二編、亀井俊介ほか監修、東京大学出版会）、『史料で読むアメリカ文化史4』（有賀夏紀、能登路雅子編、亀井俊介ほか監修、東京大学出版会）、『新潮文庫 チャップリン自伝：若き日々』（チャールズ チャップリン著、中里京子訳、新潮社）、『中公文庫 藁のハンドル』（ヘンリー・フォード著、竹村健一訳、中央公論新社）、『ふくろうの本 図説 ニューヨーク都市物語』（賀川洋著、桑子学写真、河出書房新社）、『文明ネットワークの世界史』（宮崎正勝著、原書房）、『講談社現代新書 高層建築物の世界史』（大澤昭彦著、講談社）、『交通の歴史 写真でたどる人類の創造の歴史 目で見る歴史年表 はじめての馬車からヘリコプターやホバークラフトまで』（アンソニー・ウィルソン著、赤木昭夫監修、Gakken）、『中公新書 シュメル―人類最古の文明』（小林登志子著、中央公論新社）

※このまんがは、史実を下敷きに脚色して構成しています。